D1168800

mindfulness para padres e hijos

Si este libro le ha interesado y desea que lo mantengamos
informado de nuestras publicaciones, puede escribirnos a
comunicacion@editorialsirio.com,
o bien suscribirse a nuestro boletín de novedades en:
www.editorialsirio.com

Título original: GROWING UP MINDFUL
Traducido del inglés por Vicente Merlo
Diseño de portada: Editorial Sirio, S.A.
Maquetación y diseño de interior: Toñi F. Castellón

EDITORIAL SIRIO, S.A.
C/ Rosa de los Vientos, 64
Pol. Ind. El Viso
29006-Málaga
España

NIRVANA LIBROS S.A. DE C.V.
Camino a Minas, 501
Bodega nº 8,
Col. Lomas de Becerra
Del.: Alvaro Obregón
México D.F., 01280

DISTRIBUCIONES DEL FUTURO
Paseo Colón 221, piso 6
C1063ACC
Buenos Aires
(Argentina)

www.editorialsirio.com
sirio@editorialsirio.com

I.S.B.N.: 978-84-17030-19-3
Depósito Legal: MA-584-2017

Impreso en Imagraf Impresores, S. A.
c/ Nabucco, 14 D - Pol. Alameda
29006 - Málaga

Impreso en España

Puedes seguirnos en Facebook, Twitter, YouTube e Instagram.

Dr. Christopher Willard

mindfulness para padres e hijos

Prácticas esenciales para ayudar a niños, adolescentes y familias a encontrar equilibrio, calma y resiliencia

Para Leo

No puede haber revelación más veraz del alma de una sociedad que el modo en que trata a sus niños.

Nelson Mandela

Palabras de apertura del discurso de presentación de la Fundación Nelson Mandela para Niños, en Pretoria (Sudáfrica), mayo de 1955

Prólogo

Al tomar en tus manos este libro te estás embarcando en algo increíble y capaz de cambiar el mundo. Y estés donde estés y sientas lo que sientas, no te encuentras solo. Estás uniéndote al movimiento para volver a traer asombro, curiosidad y reflexión a la infancia, de la que han ido desapareciendo lentamente; un movimiento que se halla en pleno crecimiento. Este libro y otros como él existen porque hay una comunidad de personas que, como tú, quieren ayudar a la próxima generación a vivir de manera más plena y compasiva. Un proverbio chino dice: «Una generación planta las semillas; la siguiente disfruta de la sombra». Este cambio comienza contigo; comienza con todos nosotros. Así que, seas padre, madre o profesional, gracias. Me honra formar parte de este viaje contigo y con otros que están, de modo silencioso, plantando y regando las semillas de *mindfulness* en sus comunidades.

Introducción

La meditación es un microcosmos, un modelo y un espejo.
Las habilidades que practicamos cuando nos sentamos
son transferibles al resto de nuestras vidas

Sharon Salzberg,
Real Happiness

Mindfulness con niños no tiene por qué significar veinte minutos sentados silenciosamente en un cojín de meditación. Durante el tiempo que he sido maestro, terapeuta y padre, he visto cientos de niños de todas las edades y circunstancias practicar *mindfulness*, y cada práctica es tan distinta como los propios niños.

Para Jackie, de siete años de edad, que lucha con su trastorno de déficit de atención (TDA) y con unos padres en proceso de divorciarse, significa jugar con muñecos de peluche en el suelo hasta que ella o yo hacemos sonar una campanita y entonces ambos realizamos tres respiraciones conscientes. En el caso de Alexa, una adolescente de cabello rizado que tiene problemas alimentarios, significa sintonizar con las señales de su cuerpo, de modo que pueda responder a lo que este, no sus emociones, le dice que necesita comer. Para el corpulento Jared, un atleta que teme padecer un ataque de ansiedad en el campo de *hockey*, significa poder hacer un rápido escáner corporal durante un partido y llevar su conciencia a las plantas de sus pies cuando siente que su ansiedad comienza a surgir. Para Ellie, que vino a mi consulta por primera vez cuando tenía doce años por un dolor crónico relacionado con una enfermedad de la infancia, significa sentarse tranquilamente en un cojín con el club de meditación de su escuela y embarcarse en su primer retiro de *mindfulness* para adolescentes, centrándose en su propio desarrollo espiritual.

Para un profesor en su clase, *mindfulness* podría significar ofrecerles a sus alumnos una práctica de escucha concentrada para realizar antes de los exámenes. Para un terapeuta, podría significar pedirle a su paciente que dibuje mientras permanece con los cinco sentidos en el proceso. Para mí, hasta que nació mi hijo, quería decir retiros de meditación los miércoles en un centro de meditación. Ahora significa darme cuenta de mis alegrías y mis temores sobre su futuro, y lo que le depara se me aparece cuando lo observo mientras descansa o mientras juega.

Independientemente de cómo lo practiquemos, *mindfulness* ofrece el don de la calma y la claridad cuando llegan tiempos difíciles, algo que inevitablemente sucederá, más allá de lo firmemente que intentemos proteger a nuestros hijos. El mundo no siempre es un lugar benevolente y compasivo; serán heridos, si no lo han sido ya. Pero si les enseñamos, podrán descubrir que sus mayores retos pueden ser sus mayores maestros. Uno de los más notables dones de *mindfulness* es que transforma los inevitables sufrimientos de la vida en sabiduría y compasión. De hecho, todos los grandes filósofos hablan del sufrimiento como la piedra de toque del crecimiento espiritual. Si queremos que nuestros hijos crezcan y florezcan, en lugar de quedarse atrofiados por los desafíos de la vida, tenemos que ofrecerles herramientas para trabajar con el sufrimiento.

Los seres humanos necesitan experimentar cierto grado de sufrimiento para desarrollar la compasión, y está garantizado que la vida nos lo ofrecerá. Las prácticas contemplativas como *mindfulness* permiten que los niños sanen y se calmen, en lugar de evitar el dolor con distracciones. Los niños necesitan lastimarse, hacerse rasguños en las rodillas, fracasar en algunas pruebas, llorar la primera vez que se les rompe el corazón... y ver que pueden sobrevivir a la experiencia y crecer con ella. Y cuando comparten su experiencia con otros, pueden aliviar el sufrimiento del mundo.

Aunque mucha gente asocia *mindfulness* con el budismo, no hay que ser budista, religioso, ni siquiera espiritual, para practicarlo o para apreciar cómo puede ayudarnos, personal y colectivamente. La vida del Buda histórico es básicamente el cuento de un niño sobreprotegido, con unos padres que lo educaron con el fin de mantenerlo a salvo, con la idea de que así se prepararía para una vida adulta estable y predecible. Solo cuando el joven descubrió el sufrimiento en el mundo comenzó su búsqueda para terminar con él, algo que consiguió a través de prácticas de sabiduría y compasión. Jesús transformó su sufrimiento en salvación para toda la humanidad. El judaísmo busca transformar el sufrimiento de un pueblo hallando sentido y sanación para un mundo herido.

Y otras religiones y filosofías tratan de transformar y trascender los desafíos terrenales.

La investigación psicológica sobre *mindfulness* muestra que mejora mucho lo que los psicólogos llaman «florecer» –lo contrario de la depresión, la anulación o la indolencia–. *Mindfulness* desarrolla la inteligencia emocional, promueve la felicidad, aumenta la curiosidad y el compromiso, reduce la ansiedad, mitiga las emociones difíciles y los traumas y ayuda a los niños (y a los adultos) a estar centrados, aprender y tomar mejores decisiones.

En nuestro distraído mundo, la reacción por defecto al estrés, a las experiencias desagradables o incluso simplemente a las experiencias neutras es *alejarse*. ¿No te gusta cómo te sientes interiormente? ¿Estás aburrido allí donde te encuentras ahora? Entretente con algo externo a ti –mira un vídeo, juega a algo, consulta tu Twitter, date un paseo por Instagram–. Un estudio reciente halló que los jóvenes prefieren recibir diez minutos de descargas eléctricas de bajo voltaje que estar diez minutos a solas con sus pensamientos sin sus aparatos electrónicos.[1] Tomar drogas, autolesionarse y mostrar un mal comportamiento son otras maneras de abandonar su experiencia inmediata. Cuando les enseñamos a los niños a que desconecten de su experiencia, no es de extrañar que luchen con sus emociones.

Las prácticas de *mindfulness* y de compasión van radicalmente contra este condicionamiento cultural: enfatizan el hecho de establecer contacto –con nuestra experiencia, con nosotros mismos y con el mundo que nos rodea– más que de alejarse de ello. Con el tiempo, los niños aprenden a tolerar sus experiencias, sean cómodas o no, y llegan a ver que todo aquello que se halla en el abanico de la experiencia humana, agradable o desagradable, amado o detestado, finalmente pasa. Con el tiempo, a través de las lentes de *mindfulness*, pueden incluso interesarse por su experiencia, sus desencadenantes y sus respuestas automáticas. Al enseñarles a establecer contacto con su experiencia, más que a alejarse de ella, desarrollan la inteligencia emocional, lo que conduce a niños y familias más felices. Y los beneficios pueden convertirse en virales a través de las distintas comunidades, dando lugar a clases, escuelas, hospitales y clínicas de salud mental más felices –y en última instancia a un futuro de la humanidad más feliz y más compasivo.

De hecho, algunas de las investigaciones más estimulantes en *mindfulness* muestran que estas prácticas ayudan no solo a los niños. También pueden contribuir a que tú estés más tranquilo, menos «quemado», menos reactivo, más presente y seas más eficiente como padre o madre, compañero o profesional. Este es uno de los dones más hermosos de la práctica de *mindfulness*: que lo que practicamos nosotros mismos, física, emocional, espiritual, personal y profesionalmente, ayuda a otros.

SOBRE ESTE LIBRO

Al trabajar con jóvenes durante las últimas décadas, he descubierto que todo el mundo puede aprender *mindfulness*, desde niños pequeños con incapacidades importantes hasta adolescentes rebeldes. He visto que todos ellos pueden practicar y obtener beneficios en esa práctica incluso con una pequeña dosis de *mindfulness*. Por eso este libro contiene más de setenta prácticas –de modo que puedas encontrar al menos unas cuantas que funcionen para ti y para tus hijos–. Todas y cada una han sido probadas y comprobadas por mí, por otros padres, por terapeutas, por maestros y, lo que es más importante, por los propios niños. Es más, no se tiene que ser un experto. Hay prácticas sencillas que pueden compartirse con los hijos, con una intención auténtica y un corazón abierto.

Lo último que quiero hacer es convertir *mindfulness* en otra faena rutinaria o algo que haya que añadir a las sobrecargadas vidas de las familias y los maestros. Por eso, en el capítulo 11 te muestro docenas de prácticas que duran menos de un minuto. Este libro incluye también modos de llevar *mindfulness* a lo que tú y tus hijos estáis haciendo ya, incluyendo comer, andar, hacer deporte, vuestras actividades artísticas e incluso el uso de la tecnología.

Este libro no ofrece un programa, sino más bien una serie de bloques e instrucciones para compartir *mindfulness* con niños, a su propio ritmo. De pequeño, mi juguete favorito era el Lego, porque podía construir siguiendo las instrucciones o, si quería, hacer mis propias creaciones a partir de los bloques. Mi esperanza es que juegues con las prácticas de este libro para crear algo junto a tus hijos, alumnos o pacientes.

La parte I se ocupa de los principios básicos de *mindfulness*, presentando la teoría, la investigación y la ciencia que hay tras ella. Con independencia de que *mindfulness* sea algo totalmente nuevo para ti o que sepas mucho sobre el tema, tener un fundamento sólido sobre él es relevante cuando lo compartimos con niños o con otros adultos. El capítulo 3 contiene prácticas para ti, el adulto, ya que compartir *mindfulness* comienza con tu propia práctica.

La parte II bucea en una variedad de prácticas y ofrece adaptaciones para los diferentes tipos de niños y adolescentes y los diferentes entornos en los que se mueven –entre otros, familia y centro educativo–. Aquí se habla sobre las adaptaciones en clase, grupos de adaptaciones, edad y adaptaciones al estilo de aprendizaje.

La parte III aborda la enseñanza de prácticas de *mindfulness* en contextos formales, maneras de implicar a los niños y modos de crear una cultura de *mindfulness* entre adultos en tu comunidad.

Las prácticas básicas de *mindfulness* compartidas en este libro han evolucionado a lo largo de miles de años. Hasta hace poco, la meditación rara vez era practicada por las personas laicas, incluso en lugares que tendemos a asociar con ella. Muchas de las técnicas que comparto contigo en estas páginas son adaptaciones de prácticas existentes, a menudo desarrolladas por líderes de la educación *mindfulness*, incluyendo a Susan Kaiser Greenland, Amy Saltzman, Jon Kabat-Zinn y Thich Nhat Hanh. Algunas de ellas tienen su origen en tradiciones espirituales, pero todas las prácticas de este libro son seculares. En la medida de lo posible, he intentado mostrar la fuente de la práctica, tal como la conozco, pero esto es un reto en lo que sigue siendo una tradición fundamentalmente oral.

Mi intención no es darte una explicación, sino una exploración de *mindfulness*. Te invito a experimentar su poder transformador para ti mismo y para los niños que hay en tu vida. Aprende las prácticas o profundiza tu conocimiento sobre ellas, y comparte aquellas que resuenen contigo. Suspende el juicio y abre tu mente y tu corazón, abandonando los preconceptos y los prejuicios; dales una oportunidad a las prácticas y realízalas a medida que las leas. Que este libro se transforme en un laboratorio, y tú seas tanto el científico como la cobaya.

Experimenta con todas las prácticas de este libro, aunque te parezca que algunas no van contigo. Unas te resonarán; otras no lo harán. Te animo a ser un poco valiente y un poco vulnerable, y a dejar de lado la vergüenza que nosotros los adultos hemos desarrollado. Ser vulnerables y asumir riesgos es lo que les pedimos a los niños que hagan de manera regular –en la mesa, a la hora de comer, cuando les pedimos que prueben una verdura nueva; en la clase, cuando les enseñamos un nuevo concepto matemático, o en la consulta terapéutica cuando les pedimos que compartan a fondo sus historias personales–. Para conectar de manera auténtica con ellos, necesitamos experimentar y mostrar la misma vulnerabilidad que pedimos de ellos. Si esperamos que sean abiertos ante nuevas experiencias, es justo que también nosotros lo seamos. Así que mueve tu cuerpo de maneras diferentes para descubrir una nueva conciencia, dibuja si hace décadas que no tomas un lápiz, canta aunque odies el sonido de tu voz y crea algo nuevo para compartir. Y lo más importante de todo, *diviértete*.

A medida que lees e intentas hacer las prácticas, déjate sorprender por lo que te resuena y lo que no. Prueba un poco de todo, la primera vez que recorras este libro; luego vuelve a retomar lo que te funcione, a ti y a tus hijos, alumnos o pacientes.

Thich Nhat Hanh, el monje vietnamita, conocido quizás más que cualquier otro por traer *mindfulness* a Occidente, utiliza la metáfora de plantar semillas cuando habla de enseñar a los jóvenes prácticas de *mindfulness* y de compasión. Una pequeña semilla de *mindfulness* puede plantarse en todo el mundo y es capaz de crecer y florecer en una vida atenta y cuidadosa. Este libro te ayudará no solo a plantar las semillas de los más jóvenes, sino también a crear las condiciones bajo las cuales pueden germinar, crecer y florecer –física, emocional, intelectual y espiritualmente.

Parte I

Comprender Mindfulness

CAPÍTULO

1

El estrés y el niño

La vida va muy deprisa. Si no te detienes y miras alrededor de vez en cuando, podrías perdértela.

Ferris Bueller's Day Off

En el 2014, la Asociación Americana de Psicología (APA) realizó un estudio sobre el estrés en la vida americana, que podría extrapolarse a todos los países industrializados. Hallaron que el grupo más estresado del país son los adolescentes. Si has estado junto a un adolescente recientemente, podría haberte dicho eso –o quizás lo notaste, aunque no te lo dijera.

La figura 1 muestra un diagrama de Venn con círculos. La mayoría de los adolescentes se ven reflejados en «La paradoja del estudiante». Y este diagrama no incluye otras circusntancias, como cuidar a un padre enfermo, relacionarse con un hermano que está en la cárcel, tener un trabajo extra para ayudar a evitar la ejecución hipotecaria de la casa familiar y otras situaciones estresantes bajo las cuales se hallan muchos de ellos.

Los adolescentes no son los únicos en padecer estrés. Ya sea que hable con niños de barrios marginales o con estudiantes en campus universitarios que disfrutan de una buena situación económica, las inquietudes que escucho son siempre las mismas. Los niños y adolescentes de todas las edades están preocupados por si tendrán un futuro, dadas las guerras y la devastación medioambiental que afectan al planeta. Se sienten inquietos por la economía, la violencia, la pobreza y los prejuicios. Es desgarrador escuchar a una delgada niña de siete años de los suburbios decirme que está demasiado gorda para tener amigos, o a un niño de once años de un barrio marginal asegurar que la única manera que tendrá de vivir una vez pasados los veinte años es estar en la cárcel. Independientemente del historial de cada niño, el sufrimiento y el miedo son universales.

Los más pequeños no solo se hallan bajo un mayor estrés, sino que también tienen menos habilidades para hacerle frente. Los padres y los maestros, sobrecargados, no saben cómo ayudar y los centros educativos están recortando programas de habilidades para la vida y dejando espacio para pruebas de alto rendimiento. Ahora bien, si los niños no aprenden a manejar el estrés cuando lleguen a la adolescencia, es poco probable que lo hagan más tarde. Las respuestas automáticas al estrés se asimilan en una edad temprana y se refuerzan a través de las experiencias vitales. El estrés y las respuestas que los niños dan ante él son contagiosos: se propagan de niño a niño y a través de las escuelas y las familias, como la gripe cada año, provocando efectos negativos a corto y a largo plazo sobre la salud física, la salud mental y el aprendizaje. Las buenas noticias son que *mindfulness* y la compasión también son contagiosos.

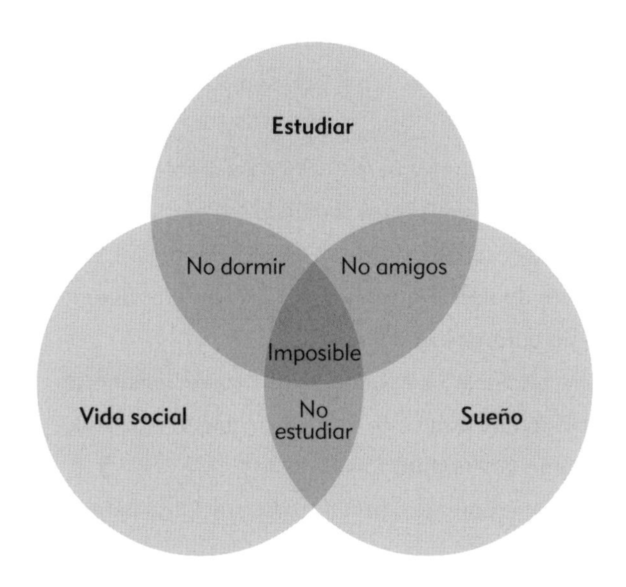

FIGURA 1. LA PARADOJA DEL ESTUDIANTE: ESCOGE DOS

CÓMO RESPONDEMOS GENERALMENTE AL ESTRÉS

Básicamente, el estrés es una respuesta al miedo, real o imaginario. Los seres humanos estamos programados para responder al miedo de muy pocas maneras. Los niños y adolescentes, cuando se ven enfrentados a los exámenes, reaccionan hoy en día prácticamente del mismo modo que lo hacían nuestros antepasados cuando se encontraban frente a un «tigre dientes de sable». Desafortunadamente, no hemos evolucionado mucho en esto.

El siguiente ejercicio, adaptado del que enseñan los maestros de autocompasión consciente Christopher Germer y Kristin Neff, ponen de manifiesto dos de las respuestas al estrés que nos son inherentes.

Cierra los ojos y mantén las manos frente a ti, apretando los puños. Al hacerlo, hazte estas preguntas:

- ¿Qué noto en mi cuerpo? ¿Y en mi mente?
- ¿Qué emociones estoy sintiendo?
- ¿Qué pensamientos me vienen a la mente?
- ¿Cuándo tiendo a sentirme de este modo, durante el día o durante la semana?
- ¿Me encuentro cómodo con mi respiración ahora?
- ¿Hasta qué punto me encuentro abierto o cerrado?
- ¿Cómo de energizado me siento?
- ¿Qué me parecería sentirme así constantemente?

Ahora afloja los puños y baja las manos. Suéltate y deja caer los hombros, permitiendo también que la cabeza caiga hacia el pecho. De nuevo, hazte estas preguntas:

- ¿Qué noto en mi cuerpo? ¿Y en mi mente?
- ¿Qué emociones estoy sintiendo?
- ¿Qué pensamientos me vienen a la mente?
- ¿Cuándo tiendo a sentirme de este modo, durante el día o durante la semana?
- ¿Me encuentro cómodo con mi respiración ahora?
- ¿Hasta qué punto me encuentro abierto o cerrado?
- ¿Cómo de energizado me siento?
- ¿Qué me parecería sentirme así constantemente?

La primera postura, apretando los puños, activa la respuesta *luchar o huir* al estrés, que nos prepara para luchar contra lo que nos está estresando o para huir de ello. Tendemos a sentirnos así en pleno tráfico, durante ese día ajetreado en el que abrimos nuestro correo y encontramos veinte mensajes urgentes, cuando comienza a sonar el teléfono en el momento en que estamos más ocupados y cuando nuestro hijo acaba de vomitar en el suelo mientras el perro no deja de ladrar.

Cuando nos encontramos en el modo *luchar o huir*, nuestra respiración está constreñida. De hecho, todo nuestro cuerpo se contrae, así como nuestra mente y nuestro corazón. Podría parecer que el más mínimo detalle nos va a sacar de quicio –probablemente porque lo hará–. Estamos en guardia, cerrados a todo excepto a las señales de peligro. En nuestro cerebro, la parte llamada amígdala (a veces denominada el «cerebro reptiliano», «cerebro de las cavernas» o «cerebro del increíble Hulk») se activa, mientras que el córtex pre-frontal, allí donde tiene lugar lo mejor de nuestro pensamiento, se apaga. Nos hallamos pensando solo en nosotros mismos y los próximos segundos; no tenemos en cuenta un gran horizonte, mucho menos experimentamos compasión o vemos las cosas desde la perspectiva de los demás. Cuando estamos en este modo, nuestros filtros no dejan entrar más que señales de peligro e interpretan incluso los estímulos neutros o seguros, como un progenitor o un maestro que puede prestarnos ayuda, como una amenaza. El cortisol, la hormona del estrés, nos recorre, bloqueando los receptores cerebrales de la oxitocina, la hormona que nos permite sentir amor, compasión y otras emociones agradables. El hecho de que la respuesta de *luchar o huir* bloquee nuestra compasión explica por qué no estamos dispuestos a perder tres segundos permitiendo que alguien se incorpore a nuestro carril cuando estamos metidos en un tráfico terrible, o por qué les gritamos a nuestra pareja o a los niños después de un duro día de trabajo. Quizás explica también algo del acoso y la violencia en determinados centros educativos. El cerebro manda el mensaje de que todo es una amenaza, y no deja espacio para la compasión ni la comprensión en nuestra respuesta.

Muchos niños pasan buena parte de su vida, mientras están despiertos, en el modo *luchar o huir*, y sus cuerpos reaccionan al peligro incluso cuando no lo hay. Muchos describen esta postura como poderosa, pero su poder no resulta sostenible en el tiempo. La respuesta de lucha, o ataque, aparece como una agresión. La respuesta de huida, o evitación, se manifiesta como angustia. Los efectos a largo plazo de una respuesta al estrés de *lucha o huida* son devastadores para la salud, tanto mental como física, ya que afecta a todos los ámbitos, tanto físicos como psíquicos, desde el estado de ánimo y la habilidad para pensar con claridad hasta la salud cardiovascular, el funcionamiento inmunitario (¿quién necesita inmunidad a largo plazo cuando se trata de una supervivencia a corto plazo?) y el metabolismo (sí, todo este estrés es, en parte, culpable de la crisis de obesidad), pasando por nuestras relaciones.

Demasiado tiempo en un estado de *lucha o huida*, y los cerebros de los niños se reprograman para la reactividad, lo que provoca que sea difícil para ellos acceder a su propia sabiduría o pensar claramente. Los padres y los maestros pueden ver a los niños pasar horas estudiando y llenando sus cerebros con información, o los terapeutas pueden ayudarles a construir un conjunto firme de estrategias para sobrellevar el estrés, pero ellos puede que todavía suspendan un examen o pierdan la calma en momentos importantes, porque no tienen el ancho de banda necesario para acceder a la corteza prefrontal o a su mejor yo en el momento que se necesita.

Analicemos la segunda postura, que muestra otra respuesta al estrés que nos es inherente. La posición de abandonarse representa la respuesta *parálisis/abandono* al estrés o al peligro, lo cual supone una tensión menor que luchar o huir. En el mundo adulto moderno, podríamos denominar esta respuesta el «sentimiento de viernes a las cuatro de la tarde». Los animales salvajes a veces responden de este modo a las amenazas: se quedan paralizados, esperando fundirse con el entorno para que los predadores no puedan verlos, o simulan estar muertos, con la esperanza de engañarlos y que los dejen en paz. Cuando esta respuesta impregna casi todo el comportamiento, los científicos conductistas la llaman indefensión aprendida, o incluso depresión –otra reacción al estrés o al trauma crónico–. Conductualmente, manifiesta un abandono, un volverse hacia dentro y cerrarse al mundo, y podemos verla en nosotros o en esos niños que en clase se recuestan en la última fila, dando la impresión de que han abandonado. En el estado de *parálisis/abandono*, también se filtran y se dejan fuera las señales de seguridad, lo que refuerza el ciclo depresivo.

Si bien la respuesta *parálisis/abandono* tiene sus ventajas e incluso uno puede sentirse bien manteniéndola –al contrario que la de *luchar o huir*, que resulta insostenible–, el abandono no es manera de enfocar una competición atlética o una entrevista para la universidad, y repetida una y otra vez conduce a la depresión y la evitación de la realidad.

Tanto la respuesta de *luchar o huir* como la de *parálisis/abandono* funcionaban bien a la hora de enfrentarse a los peligros físicos a los que nuestros antepasados cazadores-recolectores se veían sometidos, pero son ineficaces frente a los peligros y al estrés emocional que el mundo moderno presenta, en el cual las amenazas están dirigidas no tanto a nosotros mismos como a las imágenes y conceptos que tenemos de nosotros mismos. No comprendemos por completo por qué algunas personas reaccionan agresivamente, otras con ansiedad y otras deprimiéndose. Puede que se deba a la programación neural de nuestro cerebro. También podría deberse a una combinación de genética, condicionamientos culturales y apego temprano (o falta de apego) a quienes nos cuidan o nos cuidaron.

El ejercicio anterior que realizaste con las manos te permite experimentar el modo como un niño, o un adulto, respondiendo al estrés, percibe el mundo e interactúa con él. La respuesta de lucha probablemente le suena familiar a todo aquel que ha pasado algún tiempo con un niño furioso; la de huida pertenece a lo que podríamos llamar niño ansioso, y la de quedar paralizado es típica de un niño deprimido o traumatizado.

CULTIVAR RESPUESTAS HÁBILES ANTE EL ESTRÉS

La buena noticia es que luchar, huir y quedar paralizado no son nuestras únicas opciones a la hora de responder al miedo y al estrés. Actualmente, los biólogos están estudiando otras dos respuestas, inherentes a nuestro cuerpo y nuestra mente –aunque, dado que tendemos a no cultivarlas en nosotros, muchos no las experimentamos casi nunca.

Para mostrarte lo que quiero decir, volvamos a nuestro ejercicio anterior.

Siéntate o quédate de pie, manteniendo tu cuerpo ni demasiado tenso ni demasiado suelto. Extiende las manos frente a ti, con las palmas hacia arriba y abiertas.

- ¿Qué notas en tu cuerpo? ¿Y en tu mente?
- ¿Qué emociones estás sintiendo?
- ¿Qué pensamientos te vienen a la mente?
- ¿Cuándo tiendes a sentirte de este modo, durante el día o durante la semana?
- ¿Te encuentras cómodo con la respiración ahora?
- ¿Hasta qué punto te encuentras abierto o cerrado?
- ¿Cómo de energizado te sientes?
- ¿Qué te parecería sentirte así constantemente?

Mientras te mantienes erguido, colócate una mano, o las dos, sobre el corazón. Siente su calor.

- ¿Qué notas en tu cuerpo? ¿Y en tu mente?
- ¿Qué emociones estás sintiendo?
- ¿Qué pensamientos te vienen a la mente?
- ¿Cuándo tiendes a sentirte de este modo, durante el día o durante la semana?
- ¿Te encuentras cómodo con la respiración ahora?
- ¿Hasta qué punto te encuentras abierto o cerrado?
- ¿Cómo de energizado te sientes?
- ¿Qué te parecería sentirte así constantemente?

La postura con las manos levantadas y las palmas hacia arriba representa una respuesta llamada *atender*. Se trata de una postura cualitativamente distinta de luchar, de huir o de quedar paralizado. Consiste en prestar atención a lo que está realmente aquí. En esta posición, es probable que nos sintamos abiertos y alertas, pero al mismo tiempo en calma. Estamos cómodos sin ser indolentes. Más que evitar, hacemos frente directamente a lo que hay ante nosotros, nos guste o no, y mantenemos una mente clara y receptiva. Podemos pensar en este estado atento del cuerpo y la mente como *mindfulness*.

Mediante esta respuesta consciente, podemos pensar de manera plena y creativa, utilizando todo nuestro cerebro. Podemos centrarnos tanto en el contexto general como en lo que se halla frente a nosotros. Podemos respirar fácil y profundamente, y al hacerlo integramos una información adecuada sobre el mundo que nos rodea y sobre el mundo interior. En el cerebro, los lóbulos prefrontales están activados y la amígdala, el sistema de alarma interna, permanece en calma, sin hormonas del estrés atascando el sistema. En la respuesta atenta, no somos pasivos, sino que estamos alertas y despiertos.

La última postura, con una o las dos manos sobre el corazón, recrea la respuesta *amistosa*. Podemos pensar en ella como compasión y autocompasión. No solo estamos presentes al estrés, a lo que nos resulta difícil en ese momento, sino que estamos también cuidándonos activamente y, en el proceso, aprendiendo a hacernos amigos de las difíciles emociones que tenemos. Todos podemos empezar a aprender de nuestras emociones, nuestras voces internas, y atenderlas adecuadamente. En el proceso, empezamos a preocuparnos por nosotros mismos y, además, a preocuparnos por quienes nos rodean.

Tómate un momento para reflexionar: ¿cuál de estas respuestas constituye el mejor estado mental para que tus hijos (o tú mismo) negocien la hora de volver a casa, hagan un examen o enfoquen cualquier otra situación potencialmente estresante? Las respuestas atenta y amistosa –que también están programadas en nuestro sistema nervioso– son más sostenibles que luchar, huir o quedar paralizado. Por ejemplo, en 2013, estaba enseñando en Europa cuando me enteré de que unas bombas habían estallado cerca de la línea de meta del maratón de Boston, en mi ciudad natal. Mi primera reacción instintiva fue la de que se me encogiese el corazón, un gesto inconsciente, automático, de pena. No obstante, si hubiera estado en Boston, en la línea de meta, cuando explotaron las bombas, no cabe duda de que la respuesta útil hubiera sido la de luchar o huir. Así pues, no es que una sea mejor que otra, sino que unas son mejores en determinados contextos. Por tanto, ¿por qué generalmente fracasamos a la hora de tener la respuesta de luchar, huir o quedar paralizados? Porque no hemos cultivado nuestras respuestas atenta y amistosa ni las hemos reforzado cuando se presentan.

Ahí es donde entra *mindfulness*. Al emplear prácticas que nos abren, como en la segunda parte de este ejercicio, cultivamos nuevos tipos de conciencia y, al hacerlo, entrenamos a nuestros cerebros para que nos ofrezcan la opción de responder al estrés de manera atenta y amistosa, en lugar de automáticamente con las respuestas limitadoras y agotadoras de la lucha, la huida o quedar paralizado. Podemos utilizar estas prácticas también para ayudar a que nuestros hijos, alumnos y pacientes cultiven sus respuestas atentas y amistosas, para que puedan encontrar los sentimientos de apertura, calma alerta y aceptación de sí mismos cuando más lo necesiten. Recorrer este ejercicio de cuatro posiciones constituye una buena introducción a *mindfulness*: ofrecerle a la gente la experiencia de *mindfulness* a través de la postura siempre será más potente que definírsela.

Cuando utilizo este ejercicio con los niños más pequeños, bromeo con la idea de que en las dos primeras posiciones actuamos y nos movemos como un robot o un muñeco de trapo, y en las otras dos posiciones actuamos como seres humanos. Otro amigo las describe como energía tigre, energía oso perezoso y energía cisne. Tú o tus hijos podéis también deciros a vosotros mismos, de manera juguetona, cuando estéis en medio de la respuesta *luchar o huir*, «estoy en calma»; cuando os desaniméis, «puedo hacerlo»; en la posición de atención, «estoy muy estresado», o en la posición amistosa, «soy un completo fracaso». Resulta casi cómico lo falsas que parecen estas palabras.

No es que el estrés sea malo. Lo único que necesitamos es que nuestras respuestas se adecúen a las situaciones en las que nos encontramos. Las respuestas *atenta y amistosa* no siempre son las mejores; a veces nos hallamos ante peligros reales, y para sobrevivir necesitamos responder luchando, huyendo (como cuando un coche se abalanza sobre nosotros) o «paralizándonos» y simplemente haciendo caso omiso de todo. Al principio, las respuestas atenta y amistosa pueden hacer que nos sintamos vulnerables, y algunos niños pueden no sentirse seguros, física o emocionalmente, si responden así en su vecindario o en sus casas. Si hubiera estado en la línea de meta del maratón de Boston cuando estalló la bomba, me hubiera gustado estar en modo luchar/huir hasta haberme puesto a salvo, y allí podría haber cambiado al modo estar atento/ser amistoso para mí mismo y para los demás. Como adultos, podemos ayudar a que los niños encuentren espacios en los que resulta seguro practicar las respuestas atenta y amistosa, para que recurran a ellas cuando sea apropiado.

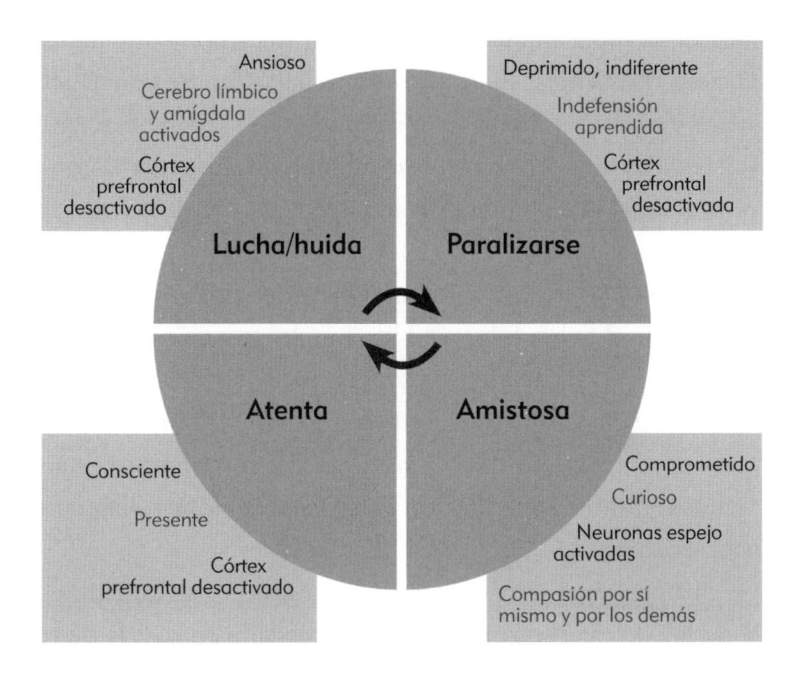

FIGURA 2. MODOS DE RESPONDER AL ESTRÉS

MINDFULNESS Y EL CEREBRO

Solíamos pensar que el cerebro con el que nacimos era el que, una vez terminado el crecimiento al final de la adolescencia, se quedaba con nosotros, invariable ya para siempre.

Pero en los últimos tiempos, la investigación sobre la *neuroplasticidad* –la capacidad de nuestro cerebro para cambiar y crecer, al igual que un músculo, como resultado de nuestras acciones y nuestros pensamientos– nos cuenta una historia muy distinta.

El cerebro no es como el resto del cuerpo. Hemos nacido con una serie de parámetros físicos, pero si comemos de manera adecuada, nos cuidamos y hacemos ejercicio, podemos desarrollar nuestra musculatura, nuestra flexibilidad y nuestra resistencia. Ejercitándolo, especialmente con *mindfulness* y prácticas afines, también podemos cambiar la forma y el tamaño de nuestro cerebro, además de aumentar la concentración, la flexibilidad y la inteligencia y construir nuevas vías y redes neurales.

Mi amiga y colega Sara Lazar, neurocientífica de la Harvard Medical School, ha recibido mucha atención por escanear los cerebros de meditadores de *mindfulness* con aparatos de resonancia magnética. Su investigación halló que –igual que con el ejercicio físico– las áreas del cerebro que están activas durante la meditación *mindfulness* se desarrollan con la práctica.[1]

La principal área en la que tiene lugar el crecimiento es la de la corteza prefrontal, el área situada justo detrás de la frente. Esta región es el hogar de nuestro funcionamiento ejecutivo: es el centro que controla y ordena, y es allí donde nace el pensamiento analítico. En ella vemos el futuro, comprendemos las consecuencias, vemos posibilidades y construimos planes y estrategias para lograr nuestros objetivos.

Esta parte del cerebro nos permite también suprimir los impulsos y no actuar ante cada emoción. La regulación de la atención y lo que los psicólogos llaman la memoria funcional radican aquí, manteniéndonos centrados en lo que estamos haciendo, conservando la información en nuestro escritorio cognitivo. Muchas interacciones entre la emoción y el pensamiento ocurren aquí, cuando les damos sentido a las señales emocionales y, luego, tomamos las decisiones morales y racionales.

Una actividad reducida y un tamaño pequeño de la corteza prefrontal se correlacionan con condiciones psicológicas como el trastorno de déficit de atención e hiperactividad (TDAH), el abuso de drogas y otras conductas problemáticas, dificultades con el control de los impulsos, esquizofrenia, distracción, depresión y trastornos del estado de ánimo.

Resulta interesante saber que esta fue la última área de nuestro cerebro que evolucionó. Podría decirse que el córtex prefrontal es lo que nos hace humanos. Es también la última área que se desarrolla en nuestras vidas individuales –alcanza su pleno desarrollo solo hacia los veinticinco años. La investigación actual sugiere que, en los varones, no está plenamente desarrollada hasta cerca de los treinta (las compañías de seguros y de alquiler de coches, por no hablar de los padres y los profesores, así como todos aquellos que tratan con jóvenes de veinte años, descubrieron esto antes que los científicos)–. La investigación sobre *mindfulness* ha hallado mejorías en el mantenimiento de la atención (escuchar al profesor durante toda la clase) y en la atención selectiva (ignorar las bolitas de papel lanzadas por compañeros aburridos), cuando esto tiene lugar en el córtex prefrontal.

La corteza insular (o ínsula), situada en una zona más profunda del cerebro, también se halla activa durante la meditación y se desarrolla mediante la práctica regular. Esta región controla los procesos viscerales, incluyendo la regulación del ritmo cardíaco, la respiración y el hambre. La corteza insular ayuda también a la regulación emocional, la integración de pensamientos y emociones, así como la conciencia y la autoconciencia. Las neuronas espejo, que nos otorgan la capacidad de ponernos en la piel de otras personas y sentir compasión por ellas, están situadas aquí. Esta área a menudo es más pequeña en personas con enfermedades mentales graves, como el trastorno bipolar y la esquizofrenia, mientras que, por otra parte, parece ampliarse, incluso a corto plazo, a través de la meditación. Como ya indiqué anteriormente, del mismo modo que los músculos están activos durante el ejercicio físico, estas áreas se activan durante el ejercicio mental, y con el uso frecuente se desarrollan.

También otras regiones cerebrales muestran cambios positivos con la meditación *mindfulness*. Los investigadores creen que la articulación temporoparietal alberga muchos aspectos de la inteligencia emocional, como las capacidades de ver las situaciones desde una perspectiva más amplia, situarse en el punto de vista de otros y tener más en cuenta las consecuencias de las acciones y los comportamientos. El hipocampo es importante en la memoria y el aprendizaje, tanto el que se lleva a cabo en la clase como a partir de la conducta pasada. Esta parte del cerebro es más pequeña en pacientes con trastorno por estrés postraumático y en personas que luchan socialmente. El hipocampo nos ayuda a responder adecuadamente a una situación obteniendo información del córtex prefrontal, gracias a lo cual podemos elegir la mejor acción. La región cingulada posterior, que

EFECTOS DE *MINDFULNESS*	
Neurológicos	• Crecimiento de sustancia gris en el córtex prefrontal y la ínsula • Menor actividad de la amígdala • Desarrollo de la articulación temporoparietal y del hipocampo • Cambios positivos en los patrones de ondas cerebrales, asociados con el bienestar.
Psicológicos	• Mejora en el estado de ánimo, la autoestima y la compasión • Efectos positivos sobre la depresión, la ansiedad generalizada, el trastorno obsesivo-compulsivo, ansiedad social, el trastorno por estrés postraumático y el trastorno de la personalidad límite.
Físicos	• Mejora el funcionamiento inmunitario y la salud cardiovascular • Ayuda a dormir • Mejora los hábitos alimentarios • Parece ayudar en casos de asma, inflamación y tiempo de recuperación quirúrgica • Reduce el estrés (tal como es medido por los niveles hormonales) • Ayuda en casos de dolor crónico
Académicos	• Mejora la capacidad de concentración, la atención selectiva y sostenida, la función ejecutiva, la memoria y el funcionamiento cognitivo general. • Reduce la ansiedad ante los exámenes. • Mejora la creatividad y produce una mayor eficiencia en el aprendizaje, el esfuerzo, el comportamiento en clase, la conducta ante las tareas y la atención.
Conductuales	• Reduce el comer excesivamente, las autolesiones, la drogadicción, la conducta agresiva y los accidentes.

FIGURA 3. LA INVESTIGACIÓN SOBRE *MINDFULNESS* MUESTRA QUE POSEE UNA VARIEDAD DE EFECTOS POSITIVOS[2]

nos permite cambiar de una perspectiva egocentrada a una visión más amplia, también cambia a través de la práctica de *mindfulness*. Otra investigación ha descubierto que este tipo de meditación altera nuestras ondas cerebrales a corto y largo plazo, produciendo patrones asociados a una mayor felicidad.

Mientras que unas partes del cerebro se hacen más grandes, más fuertes y más activas con la meditación, otras se calman. Un cambio significativo ocurre en la amígdala, la región más habitualmente asociada con las respuestas al estrés de *luchar o huir* y quedarse paralizado, así como con la depresión. Cuando la amígdala está activa, el córtex prefrontal (el cerebro civilizado) se calla, y viceversa. Como he explicado antes, cuando la amígdala está activa, vemos amenazas por todas partes y no podemos pensar con claridad. Cuando se calma, nuestra perspectiva del peligro se vuelve más realista, nuestros niveles de estrés se reducen y podemos responder racionalmente más que reaccionar irracionalmente a los sucesos estresantes.

La investigación sobre *mindfulness* se halla bien establecida y crece constantemente, desde unas pocas docenas de estudios al año, hace una década, hasta unos cuantos miles en la actualidad. La figura 3 resume lo que la investigación reciente sobre *mindfulness* nos dice acerca de sus efectos.

EL CEREBRO DE LOS NIÑOS Y LA PRÁCTICA DE *MINDFULNESS*

Si bien el cerebro siempre es «plástico» o susceptible de transformación, durante la infancia lo es aún más. Dado que los cerebros de los niños están todavía desarrollándose, pueden aprender, adaptarse y cambiar más rápidamente que los de los adultos. (¡No te preocupes!, la investigación muestra que es posible cambiar el cerebro y conseguir que sea más calmado, más centrado y menos reactivo en cualquier edad –así que puedes enseñarle a un perro anciano nuevos trucos–). Podemos hacer que los niños logren un desarrollo cerebral sano a lo largo de sus vidas si comienzan pronto la práctica de *mindfulness*.

Piensa en los momentos menos felices pasados en tu propia casa, en aquellos de tus alumnos que tienen tendencia a irritarte o en los tipos de preguntas que surgen en la consulta terapéutica. Cuando planteo la pregunta en los talleres, oigo una y otra vez las mismas respuestas: *neuras, impulsividad, infelicidad, agresividad, egocentrismo, falta de perspectiva, incapacidad para ver las consecuencias, juicios críticos, altibajos emocionales, período de atención muy breve, dificultades a la hora de planificar, reactividad, funcionamiento ejecutivo deficiente, hipersensibilidad*. Todo ello es típico de un cerebro en desarrollo. Pero existe una gran evidencia de que *mindfulness* y prácticas relacionadas tienen efectos positivos sobre las regiones del cerebro que son las más importantes para el equilibrio emocional, la calma y la resiliencia, y todos los tipos de investigación muestran de qué modo *mindfulness* ayuda a los niños en estas cuestiones.

Puede que estés pensando: «Todo eso está muy bien, pero ¿cómo mi malhumorado adolescente, que no puede ver más allá de los cinco minutos siguientes, va a sentarse en un cojín y meditar?». La respuesta es: no tiene que hacerlo. Los capítulos siguientes ofrecen docenas de prácticas que son tan útiles como la meditación formal y no implican sentarse ni permanecer quieto, ni duran mucho tiempo.

Es importante saber que practiquen o no los niños y adolescentes con los que mantenemos contacto, si nosotros lo hacemos todo el mundo se beneficia de la calma contagiosa, la claridad y la compasión fomentada por *mindfulness*. Si podemos estar equilibrados con nuestra propia práctica cuando nuestros hijos entran en años difíciles –sea la tremenda edad de los dos años o la terrorífica adolescencia–, esas fases pasan más suavemente para todos.

LA CIENCIA DEL CEREBRO: NO ES SOLO PARA ADULTOS

Comprender su propio cerebro empodera y motiva a los niños. Un estudio realizado en Stanford examinó cómo la comprensión de la inteligencia que los estudiantes tenían cambió sus hábitos de trabajo.[3] Dos grupos separados de escolares de rendimiento medio participaron en un breve taller centrado en el estudio de habilidades, con una sola diferencia: a un grupo se le explicó la neuroplasticidad y les dijeron que podían cambiar sus cerebros y volverse más inteligentes si se esforzaban en ello. Meses después, los niños de ese grupo eran más fácilmente identificables: tenían mejores hábitos de estudio y mejores calificaciones. Kevin, un joven con el que trabajé, era escéptico respecto a por qué necesitaba hacerse cargo de su estrés. Había bordado todos los exámenes de su curso de ciencia avanzada y no hacía nada en terapia sin interrogarme sobre la evidencia científica. Le hablé de la investigación sobre *mindfulness* y le envié algunos artículos. Ahora le gusta visualizar sus lóbulos prefrontales creciendo ligeramente durante sus prácticas de *mindfulness*.

Les he explicado a muchos niños que se ven como impulsivos o directamente «malos» que tan solo necesitan hacer un poco de ejercicio con su cerebro. Cuando adoptan esa perspectiva, son capaces de mandar a paseo su remordimiento y su culpabilidad y empezar a sentirse mejor consigo mismos.

DESACELERAR NUESTRAS MENTES

El estrés, como la muerte y los impuestos, constituye una certeza en la vida. Pero demasiado a menudo nuestras reacciones a él lo empeoran todo –la salud física, la salud mental y el pensamiento–. Además de remodelar nuestros cerebros y ayudarnos a cultivar mejores respuestas al estrés, las prácticas de *mindfulness* constituyen un contrapeso a nuestro ocupado mundo, puesto que nos animan a desacelerar, a detener el ajetreo, a ser en lugar de hacer y a experimentar en lugar de pensar. Estos momentos de ralentización, a menudo son momentos en los que sentimos que estamos en forma. Desacelerar y ser un poco vulnerable no es fácil, y puede que muchos niños no se sientan seguros al hacerlo. El mundo puede ser un lugar terrible, pero podemos ayudarles a encontrar esos momentos en los que pueden ser más conscientes (*mindful*).

Pregúntate cuándo piensas mejor o te vienen las mejores ideas. Mucha gente dice: «En la ducha». ¿Por qué? Porque estamos relajados, calentitos, cómodos y a menudo sin prisas. Hay fuertes estímulos sensoriales –sonidos, olores, sensaciones– que nos enraízan en el presente. O quizás tú, como otros grandes pensadores a lo largo de la historia, recibes intuiciones cuando te dispones a dormir. Los psicólogos llaman a este proceso cognitivo *incubación*, y han descubierto que los destellos intuitivos es más probable que emerjan desde el inconsciente a la mente consciente en esos momentos relajados, no cuando estamos intentando activamente que se produzcan.

La investigación muestra que cuando el cerebro está relajado, tiene en cuenta el contexto general y se abre a nuevas ideas, por lo que realiza nuevas conexiones importantes. Ese adhesivo que algunos llevan en el coche que dice «Las mentes son como los paracaídas: funcionan mejor cuando están abiertas» no se aplica solo a la política: vale también para el aprendizaje, las relaciones y los enfoques creativos ante los retos de la vida. Las prácticas de *mindfulness* abren la mente de ese modo. Piensa de nuevo en el ejercicio de cerrar los puños: ¿hasta qué punto eran claros tus pensamientos comparados con aquellos que tenías cuando las manos estaban abiertas ante ti?

En el caso de los niños, el cerebro se relaja no solo durante las prácticas de *mindfulness*, sino también cuando juegan libremente, en los descansos, las vacaciones, la siesta, las ensoñaciones, cuando dibujan garabatos y en otras actividades no académicas, aunque todas ellas caigan fuera de las escuelas basadas en los exámenes y de la cultura guiada por los logros. Jóvenes de todo tipo están cayendo en la trampa de los «neg-ocios» ajetreados, muy ocupados y sin tiempo libre. Frecuentemente están sobrecargados y distraídos y se sienten raros e incómodos con la desaceleración. Todo el tiempo estamos acelerando a los niños y adolescentes, menospreciando la inactividad o el tiempo de recreo a favor de hacer y hacer. La noción romántica de la infancia como una época de asombro y libertad está desapareciendo.

Aunque el «hacer» es importante, también aumenta el estrés. El hábito de estar siempre atareado queda programado en nuestros cerebros siendo muy pequeños, lo cual hace que sea más importante todavía que los niños aprendan a desacelerar, así como a gestionar sus respuestas al estrés, antes de convertirse en adultos. Hay muchas teorías acerca de por qué ha habido tal explosión de enfermedades mentales en los más jóvenes. Yo no sé la respuesta, ni siquiera si hay una –pero esta cultura del hacer y la dispersión, desde luego, no hace sino empeorarlo.

La cultura del «hacer» se ha extendido por todas partes. Podemos verla en todos los rincones de nuestra sociedad, desde los barrios marginales, donde los niños crecen con videojuegos en casa o en bandas en las calles, hasta las zonas del centro de la ciudad, en las que la cultura de la «paternidad-helicóptero»* enfatiza la carrera de locos universitaria y se lleva a los niños del fútbol a los exámenes y de estos a las clases de saxofón, todo antes de tener que hacer los deberes que les han mandado para casa. En todas partes, el juego, la verdadera conexión y la curiosidad son pasivamente, si no activamente, descuidados. Me he encontrado con padres que tienen planificado al milímetro el «tiempo libre» de sus hijos de dieciséis años y me preguntan dónde encajar la práctica de *mindfulness* (yo les digo que no encaja). He conocido estudiantes universitarios cuyos padres controlan sus teléfonos mediante GPS para comprobar dónde están a las tres de la madrugada. Un maestro en un taller reciente me dijo que

* Padres superprotectores e intrusivos en la vida de sus hijos (N. del T.).

su escuela había recortado el tiempo de comer, pasando de veinte a dieciocho minutos. Estos son extremos, es cierto, y sí, puede que procedan de una cierta preocupación, pero evitan que los niños aprendan de su propia experiencia. No es raro que estén levantados a medianoche o bien pasada la medianoche, conectados o estudiando, sin tiempo para que despierte su curiosidad en aquello que realmente les interesa.

Los jóvenes de hoy en día tienen menos experiencia cuando se trata de desacelerar y explorar el mundo que los rodea, por no hablar de los hermosos mundos que hay dentro de ellos. Muchos de los que sufren ansiedad o depresión aseguran que los momentos más difíciles del día son cuando tienen tiempo para sí mismos. Sin embargo, ser curioso acerca de lo que hay en nuestro interior es el modo en que emergen nuestros valores naturales, el modo en que se produce el verdadero aprendizaje y el auténtico crecimiento. Cuando los mensajes culturales les dicen a los niños que ignoren su experiencia, o que lo que sienten o hacen está mal, los confinamos en una carencia de inteligencia emocional y una escasa preparación para la edad adulta. Sherry Turkle, socióloga del Instituto de Tecnología de Massachussets, nos recordaba en una charla TED* de 2012: «Si no enseñamos a nuestros hijos a estar solos, aprenderán tan solo a ser solitarios».[4]

Mi primer libro lo titulé *Child's Mind* (La mente de niño), jugando con la noción zen de «mente de principiante». El maestro zen Shunryu Suzuki la describe así: «En la mente

---

* TED Ideas worth spreading es una organización sin ánimo de lucro que, a través de internet, hace que las ideas que merecen la pena se expandan y estén accesibles para todas aquellas personas interesadas en ellas, y por otro lado, ayudar a todas esas personas que poseen una buena idea a que éstas no se quede simplemente en eso (N. del T.).

del principiante hay muchas posibilidades, pero en la mente del experto hay pocas».[5] Esta obra era una llamada para que los adultos y los jóvenes volvieran al estado naturalmente contemplativo de la existencia infantil, esa conciencia abierta al instante presente sin juzgar, con aceptación y reflexión. La contemplación, la curiosidad, el asombro –estos son los valores de la mente de principiante–. Como exploraremos en el capítulo 2, experimentar las cosas en su esencia, por primera vez, sin juicio, es aquello de lo que *mindfulness* trata.

CAPÍTULO

2

¿Qué es exactamente *mindfulness*?

La capacidad de recuperar *voluntariamente* una atención vagabunda, una y otra vez, constituye la raíz misma del juicio, el carácter y la voluntad. Nadie es *compos sui* [dueño de sí mismo] si no hay dueño. Una educación que mejorase esta capacidad sería la educación *par excellence*.

William James,
The Principles of Psychology

Mindfulness parece estar por todas partes actualmente. Puede que hayas oído hablar de esta técnica a los del departamento de recursos humanos de tu empresa, al médico, al terapeuta o incluso en la escuela de tu hijo. La vemos en las revistas, hablan de ella en la cola de la caja del supermercado y oímos historias científicas sobre ella en la radio. Docenas de tratamientos de salud mental incorporan *mindfulness*, y hay cientos, si no miles, de centros escolares en todo el mundo donde los niños practican *mindfulness*. Pero ¿qué es exactamente *mindfulness*? Ofreceré una definición más tarde, pero recuerda que para muchos niños (y adultos), los dibujos, las metáforas, las historietas o las experiencias como la del ejercicio del capítulo 1, que muestra las diferentes respuestas al estrés utilizando la posición de las manos y la postura, pueden ser más útiles que las palabras.

Aunque hay muchas maneras de definir *mindfulness*, todas comparten algunos elementos. Me gusta la definición «prestar atención al momento presente con aceptación y sin juzgar». Esta definición tiene tres elementos fundamentales:

1. Prestar atención deliberadamente.
2. Contacto con el momento presente.
3. Aceptación sin juzgar.

Estos tres elementos son las piezas fundamentales de *mindfulness*, del mismo modo que la aritmética y el álgebra son las piezas fundamentales del cálculo. Este libro incluye prácticas que enfatizan cada elemento. Examinemos cada uno con mayor detalle.

PRESTAR ATENCIÓN DELIBERADAMENTE

La idea de prestar atención está cargada de implicaciones. Piensa en la última vez que alguien te dijo «presta atención». ¿Te lo decían de manera amable y compasiva? ¿Te enseñaron *cómo* prestar atención?

Ahora piensa en la última vez que le pediste a un niño que prestase atención, y ten presentes las mismas preguntas. Qué desconcertante debe de ser, si estás luchando con la atención o con cuestiones de salud mental, que te digan que hagas algo que nunca te han enseñado cómo hacer. Les insistimos en que presten atención cada dos por tres, pero nunca les mostramos *cómo*. *Mindfulness* enseña a los niños cómo prestar atención y fortalece esa capacidad, del mismo modo que pueden usar y fortalecer sus músculos.

Si la expresión *prestar atención* todavía parece demasiado cargada, se pueden ofrecer otras, como *observar* o *darse cuenta*.

CONTACTO CON EL MOMENTO PRESENTE

Mucha gente, niños incluidos, expresan su escepticismo ante el valor de este elemento de *mindfulness*. Se preguntan qué tiene de importante el momento presente. Cuando estamos en el presente, no estamos en el futuro, preocupados por algún escenario de pesadilla que todavía no ha ocurrido. Tampoco estamos en el pasado, reviviendo experiencias terribles o quizás solo embarazosas. Yo animo a los niños a ver el momento presente como una *oportunidad* para tomarse un descanso, más que como una tarea, de modo que puedan abandonar el pasado, ya sea que ese pasado implique algo verdaderamente terrible o simplemente alguna tontería que dijeron en la cafetería. Cuando vivimos en el momento presente y abiertos a la experiencia del ahora, más que en el futuro o el pasado, descubrimos que el presente está bien, quizás incluso que es interesante. Se dice que Lao-Tzu, el padre del taoísmo, describió la depresión como estar atascado en el pasado y la ansiedad como estar atrapado por el futuro –una descripción que para muchos de nosotros, intuitivamente, tiene sentido.

Generalmente el momento presente no es demasiado malo. Como seres humanos, podemos tolerar prácticamente cualquier cosa durante un corto espacio de tiempo, y, como a veces digo bromeando, el momento presente no dura mucho. La otra buena noticia es que estar presente nos hace felices. Un estudio reciente descubrió que lo que los participantes hacían era más o menos la mitad de importante para su felicidad que lo centrados que estaban en ello en el momento presente.[1] El mismo estudio halló que nuestras mentes están vagabundeando, como término medio, la mitad del tiempo. ¿Y adónde van nuestras mentes? Por regla general, al pasado o al futuro.

Mi amigo Mitch Abblett, doctor en filosofía, psicólogo clínico y escritor, sugiere utilizar la metáfora de la máquina atemporal, como opuesta a la máquina del tiempo. Una máquina del tiempo te lleva al pasado o al futuro; una máquina atemporal te mantiene plenamente en el presente. ¿Qué aspecto tiene el mundo desde dentro de tu máquina atemporal?

ACEPTACIÓN SIN JUZGAR

Permanecer en el momento presente y aceptar lo que está sucediendo en él significa no alejarse de él ni resistirse, pero no quiere decir que tenga que gustarte lo que esté ocurriendo. Más bien, cuando aceptamos lo que ocurre y abandonamos la lucha contra ello, podemos hallar una mayor paz y una mejor perspectiva.

Este elemento de *mindfulness* se ha enfatizado en años recientes en la cultura occidental. No soy antropólogo, pero mi sospecha es que la razón de ello tiene algo que ver con nuestra competitiva sociedad individualista, que nos pide que nos comparemos con otros todo el tiempo.

En la aceptación, estamos *siendo* más que simplemente *haciendo*. Esto no es sugerir que el hacer no sea importante; lo es, especialmente para sobrevivir y crear grandes civilizaciones. Pero abandonar el piloto automático y volverse consciente de lo que hacemos es fundamental. El hacer distraído (*mindless*) ha creado mucho sufrimiento humano, a pequeña y a gran escala. Cuando actuamos plenamente atentos (*mindfully*), el resultado suele ser mejor.

Con la aceptación y la autoaceptación, aprendemos a acallar la voz que nos juzga. Esta voz crítica puede ser el eco de un cuidador, el tono de un maestro brusco o incluso la voz de toda una cultura que nos dice que somos inadecuados o que estamos en un error a causa de nuestro género, nuestra sexualidad, nuestro sentido de la moda, nuestro gusto musical o cualquier otro marcador de nuestra identidad. Cuando nos hacemos autocompasivos al aceptar que los pensamientos, las emociones y los cuerpos son lo que son, desarrollamos compasión hacia nosotros y hacia los demás. Como dijo el psicólogo Carl R. Rogers: «La curiosa paradoja es que cuando me acepto como soy, cambio».[2]

Mi amiga Fiona Jensen, educadora de *mindfulness*, sugiere que con los niños pequeños digamos «amabilidad y curiosidad» en lugar de «aceptación sin juzgar».

ELEGIR QUÉ HACER A CONTINUACIÓN

La profesora de *mindfulness* Amy Saltzman añade otra frase al final de la definición de *mindfulness*: «... para poder elegir qué hacer a continuación». Posibilidad de elegir y libertad es lo que los niños quieren –y todos nosotros también–. Cuando les explicamos a los niños que *mindfulness* tiene que ver con su propia capacidad de elegir y su libertad, despertamos su curiosidad. Para los adolescentes, especialmente, su propio mundo y una mayor libertad son los temas más interesantes. Un educador que conocí hace poco hablaba de *mindfulness* como enseñar «respons-habilidad», o la capacidad de responder más que de reaccionar a las situaciones que plantean retos.

CÓMO DESARROLLAMOS *MINDFULNESS*: LA PRÁCTICA Y LAS PRÁCTICAS

Cuando la gente oye la palabra *mindfulness*, a menudo piensa en meditación oriental –sentarse con las piernas cruzadas, la espalda recta, muy quieto, durante largos períodos de tiempo, quizás con algún *om* incluido–. Pero igual que hay muchos tipos distintos de ejercicio físico, hay muchos tipos diferentes de prácticas de *mindfulness*. Estas incluyen desde visualizaciones guiadas hasta relajaciones corporales, pasando por técnicas que estimulan la concentración y la compasión. Podemos pensar en ellas como prácticas contemplativas. Todas cultivan los tres elementos de *mindfulness*: prestar atención, estar en el momento presente y aceptación sin juicio.

Para mostrarte cómo funcionan las prácticas de *mindfulness*, te explicaré primero la diferencia entre *mindfulness* y la concentración, como formas de estar consciente. La mayoría de nosotros sabe lo que significa *concentración*: una atención centrada, unidireccional –una lente con *zoom*, un punto de luz, un enfoque de la atención en algo–. La atención plena, o *mindfulness*, es lo contrario: una lente gran angular, un foco de luz, una conciencia abierta y que lo abarca todo. Ambos tipos de atención son útiles en nuestras vidas diarias. La concentración, o atención focalizada, es necesaria para lanzar una flecha, darle un buen efecto a un palo de golf o hacer los deberes en casa; *mindfulness*, o atención abierta, es importante al conducir, jugar al fútbol o participar en una tormenta de ideas.

Todas las prácticas que fortalecen la concentración o *mindfulness* utilizan un ancla. Sugieren que nuestra atención descanse *en algo* –el cuerpo, la respiración, el movimiento, los sentidos, una imagen, números, una palabra o frase...– para anclarnos en el momento presente. Mientras que nuestros pensamientos pueden demorarse en el pasado o correr hacia el futuro, nuestros cuerpos y nuestros cinco sentidos están siempre en el presente, lo que los convierte en unas excelentes anclas. En los retiros de adolescentes, la recomendación típica es hacer que el ancla sea la respiración, las sensaciones corporales o los sonidos. El ancla puede ser también movimientos, como en el yoga, el tai chi y el qigong. Puede ser música, cantos o el repicar de una campana. También puede consistir en frases breves, en plegarias o en una imagen visual.

Independientemente de cuál sea el ancla, la naturaleza de la mente consiste en alejarse de ella. Intenta que tu mente descanse en algo, y pronto la hallarás vagando en el pasado, en el futuro o en cualquier otra parte totalmente distinta de la propuesta. En una práctica de concentración, el objetivo es observar a la mente deambular y volver a llevar la atención al ancla, una y otra vez. Esto desarrolla la fortaleza de nuestra concentración, del mismo modo que levantar una pesa una y otra vez desarrolla la fortaleza de un músculo. El proceso interno podría ser algo así: «Respirar... Respirar... La mente vaga. No pasa nada, volvemos a la respiración... Respiramos... Respiramos...».

Con una práctica de *mindfulness*, el objetivo es observar no solo *cuándo* la mente vaga, sino también *adónde* va, antes de volver a llevarla al ancla. El proceso sería algo así: «Respirar... Respirar... La mente vaga hacia preocupaciones familiares... Suavemente la volvemos a llevar a la respiración... Respiramos... Respiramos...».

La práctica de *mindfulness* puede sintetizarse con «cuatro R», que aprendí de los instructores de *mindfulness* Brian Callahan y Margaret Jones Callahan, en Vancouver:

Reposar la atención (la mente) en un ancla.
Reconocer cuándo y adónde vaga.
Retornar la atención suavemente al ancla.
Repetir.

Otro modo de comprender la diferencia entre *mindfulness* y concentración es representar la mente como un cachorro.

Práctica de concentración: inevitablemente, el cachorro vaga. Volvemos a traerlo tan a menudo como lo necesitemos.
Práctica de *mindfulness*: inevitablemente, el cachorro vaga. Observamos adónde ha ido y luego, tranquilamente, de manera cariñosa, volvemos a traerlo.

UNA PRÁCTICA BÁSICA DE MEDITACIÓN *MINDFULNESS*

Este es un buen momento para intentar practicar una meditación *mindfulness*. Antes de empezar, adopta una postura que sea cómoda y puedas mantener durante un tiempo y luego pon un cronómetro para que suene dentro de tres minutos.

En primer lugar, lleva tu atención a un ancla: las sensaciones o el movimiento de tu cuerpo, la respiración, los sonidos ambientales, contar o incluso algo visual. Cualquier cosa puede ser el ancla de tu atención. Simplemente invita a tu mente a que descanse ahí.

Muy pronto, observarás que tu mente comienza a vagar. Esto es totalmente normal. Cada vez que te des cuenta de ello, observa adónde va y luego tranquilamente vuelve a llevar tu atención al ancla.

Muy sencillo, ¿verdad? En realidad, tan simple que podría parecer que no estás haciendo gran cosa. Pero no te engañes. Cada aspecto de esta práctica desarrolla los músculos de tu mente:

- Cada vez que te centras en el ancla o vuelves a ella, estás ampliando tu capacidad de concentración.
- Cada vez que te centras en el ancla, te desapegas de la corriente de tus pensamientos. Esto es una práctica de dejar ir en el momento, que se traduce en dejar ir el resto del tiempo.
- Cada vez que te das cuenta de *dónde* está vagando tu mente, se trata de una oportunidad para penetrar en sus hábitos y patrones –lo que podríamos llamar sabiduría o autocomprensión.

Cada una de las acciones mentales de esta práctica fortalece conexiones neuronales que, con la repetición, reprograman tu cerebro, haciendo, con el tiempo, que *mindfulness* y compasión sean la respuesta automática al estrés. Como dice el refrán, «las neuronas que se activan juntas, se programan juntas», y en este caso, estas son las neuronas de la concentración, las de la conciencia, las de la compasión y las de la autocompasión. Probablemente todos podríamos utilizar un mayor número de estas neuronas en nuestro cerebro.

Con el tiempo, a través de la práctica de *mindfulness*, podemos construir un mapa de la mente, observar nuestros patrones mentales habituales y desarrollar la paciencia y la compasión hacia nuestras mentes. Sakyong Mipham, un famoso maestro tibetano de meditación, habla de esto como «convertir la mente en un aliado».

SALUD MENTAL

En nuestra evolución, los seres humanos hemos necesitado tanto el ejercicio físico como el ejercicio mental. Físicamente nos mantuvimos en forma viajando como nómadas, cazando animales y cultivando nuestros alimentos. Del mismo modo, como escuché recientemente del instructor de *mindfulness* Jan Chozen Bays, nos mantuvimos en forma mentalmente con actividades como ser conscientes del firmamento nocturno mientras navegábamos o contemplando el fluir del río mientras pescábamos. Actualmente, necesitamos encontrar tiempo en nuestras vidas para ejercitar tanto nuestro cuerpo como nuestra mente.

SER AMABLES Y COMPASIVOS CON NOSOTROS MISMOS

No hay ningún problema en que tu mente vague; no es más que la mente humana haciendo lo que hace el 47% del tiempo. El momento más importante en la práctica de *mindfulness* es el que viene *después* de la distracción. ¿Qué haces en ese momento? ¿Qué actitud tienes hacia tu mente? ¿Qué tono de voz utilizas cuando la diriges de nuevo hacia el ancla? ¿Puedes escribir en una nota lo que ha hecho tu mente? ¿Puedes abandonar todo juicio y comenzar de nuevo?

Cuando empezamos a practicar *mindfulness*, nuestras mentes no están entrenadas, pero eso no es razón para juzgarlas con dureza. Podemos limitarnos a sonreír y reconocerlas como no entrenadas, sin considerarlas malas, perezosas o débiles. Muchos de los que llegamos a *mindfulness* tendemos a ser severos con nosotros mismos, lo cual, en momentos de estrés, nos lleva a ser duros con los demás. De modo que, en la práctica de *mindfulness*, es importante llevar de nuevo la mente errática al ancla de manera *amable y compasiva*.

Volvamos a pensar en el cachorro como metáfora de la mente. ¿Cómo entrenas a un cachorro? Con una firmeza suave. Si lo entrenamos solo mediante severos castigos, terminamos creando un cachorro ansioso y a veces malvado. Si no lo adiestramos de ningún modo, tenemos otros problemas. Crea un caos, trata de atrapar su propia cola o ladra por nada. Quizás se vuelva perezoso y mimado, o agresivo sin razón, o demasiado distraído. Tener un cachorro bien adiestrado es mucho más divertido que tener uno no adiestrado, aunque el adiestramiento puede exigir un trabajo duro. Una mente bien entrenada hace la vida más fácil y más feliz. Así pues, tratemos nuestras mentes como lo haríamos con el cachorro, con ánimo paciente y buen humor.

Ser amables y compasivos con nuestras propias mentes crea un hábito de autocompasión, de manera que cuando cometemos un error, somos amables con nosotros mismos, en lugar de martirizarnos. A su vez, la compasión hacia nosotros mismos genera compasión hacia los demás, y podemos abordar el estrés y las decepciones con una actitud amistosa, más que de manera agresiva.

PRÁCTICA FORMAL Y PRÁCTICA INFORMAL DE *MINDFULNESS*

Las prácticas de *mindfulness* pueden dividirse en dos tipos fundamentales: formal e informal. Ronald Siegel, Susan Pollak, Thomas Pedulla y otros instructores de *mindfulness* utilizan la metáfora del ejercicio físico para explicar la diferencia.[3]

Práctica formal significa establecer un momento del día o de la semana para practicar específicamente la meditación *mindfulness*. Es el equivalente mental de ir regularmente al gimnasio, a una clase de yoga o a correr. Algunas personas hacen su meditación en casa; otras van a un centro de meditación. La práctica formal puede incluir también establecer un día o más para la meditación *mindfulness*, generalmente lejos de casa y de la vida habitual. Ir a un retiro de meditación *mindfulness* sería análogo a hacer un viaje con mochila y tienda de campaña un fin de semana largo, o a competir en un triatlón.[4]

Práctica informal significa llevar deliberadamente los elementos de *mindfulness* a cualquier cosa que hagamos en nuestras vidas diarias. Es el equivalente mental de elegir subir las escaleras en lugar del ascensor, ir al trabajo en bicicleta o transportar varias bolsas desde el supermercado a casa. En una práctica informal, básicamente hacemos de nuestra vida el ancla de nuestra práctica, y aprendemos a vivirla según las comprensiones que ello nos aporta. Esto no tiene que ser complicado; simplemente podemos detenernos y preguntarnos lo más a menudo posible: «¿Qué estoy haciendo justo ahora, y cómo lo sé?».

Los dos tipos de práctica se complementan, y tu mente estará en la mejor forma posible si realizas ambas. No obstante, esto puede que no sea realista para muchos adultos ocupados o para los niños.

LO QUE *MINDFULNESS* NO ES

Saber lo que *mindfulness no* es, resulta de tanta importancia como saber lo que *mindfulness* es, ya que mucha gente sigue malinterpretándolo. Es importante para ti, pero también lo es cuando hablas con niños y con otros adultos sobre *mindfulness*.

MALENTENDIDO 1

Mindfulness significa no hacer nada

Verdaderamente, *mindfulness es hacer algo*, incluso si, en cierto sentido, es *no hacer nada*. Varios investigadores han colocado a meditadores de *mindfulness* en aparatos de resonancia magnética para mapear sus cerebros y compararlos con cerebros realizando otras actividades. Un cerebro que está practicando meditación *mindfulness* es distinto de un cerebro que está desconectado, durmiendo, relajándose, pensando o trabajando. Encontraron también que tipos diferentes de meditación activan distintas áreas cerebrales.

MALENTENDIDO 2
Mindfulness es algo espiritual o religioso

Uno de los mayores malentendidos sobre las prácticas de *mindfulness* es que son inherentemente religiosas o espirituales. Las prácticas contemplativas han existido en las más diversas culturas a lo largo de la historia, no necesariamente asociadas con ninguna religión, ni siquiera con la espiritualidad. Pueden ser prácticas de entrenamiento mental completamente seculares. Muchos meditadores se identifican como religiosos: algunos se consideran cristianos, judíos, musulmanes, hindúes o budistas, pero muchos otros se definen como ateos.

Jon Kabat-Zinn, que ha hecho casi más que cualquier otro en Occidente por llevar *mindfulness* a la cultura dominante, mantuvo deliberadamente su programa de reducción del estrés basado en *mindfulness* como un programa secular. Hoy en día, al menos en muchas partes del mundo, la palabra *mindfulness* no despierta más asociaciones espirituales que el término *concentración*. No obstante, la palabra *meditación* todavía puede provocar algunos levantamientos de cejas; dependiendo de dónde vivas y trabajes, también *mindfulness* puede hacerlo.

Mucha gente asocia *mindfulness* con el budismo. El Buda histórico no *inventó mindfulness* –nadie puede inventar un estado mental–, ni lo *descubrió* –al menos, no fue el primero, ya que todo el mundo ha tenido momentos de contemplación silenciosa y contacto con el momento presente–. Pero describió *mindfulness* y un sistema para cultivarlo. Del mismo modo, sir Isaac Newton no descubrió ni inventó la gravedad, pero la estudió y la describió de una manera que nadie lo había hecho antes.

MALENTENDIDO 3
Mindfulness es algo misterioso, exótico o místico

La mayoría de los instructores con los que he estudiado se apresuran a señalar la naturaleza ordinaria de la meditación y de la conciencia *mindful*. Pero, a causa del modo en que *mindfulness* se ha caracterizado en la cultura popular, mucha gente cree que es mística o misteriosa. Las asociaciones, acertadas o no, con el misticismo pueden provocar cierto rechazo en los niños y adolescentes y ser una fuente de burla para otros. No obstante, con un poco de experiencia, pronto descubrirán que las prácticas de *mindfulness* no son necesariamente místicas ni trascendentes.

MALENTENDIDO 4
Mindfulness es una manera de «colocarse»

Muchas prácticas de *mindfulness* pueden hacer que nos sintamos muy bien, incluso dichosos, desde un principio. Incluso pasadas asociaciones de la meditación *mindfulness* con la contracultura llevan a algunos a asociarla con «colocarse». Sin embargo, no se trata de experimentar un «colocón» que, además, rara vez dura mucho tiempo. Una práctica a largo plazo significa altos y bajos y llevan a viajes interiores fascinantes, a veces alarmantes, otras aburridos. En ese sentido, la práctica contemplativa es, en gran medida, como la vida.

MALENTENDIDO 5
Mindfulness es una técnica para distraerte o un modo de huir de la realidad

Cualquiera que empiece a practicar *mindfulness* pronto descubre que no es un modo de huir o apartarse de la realidad. Muy al contrario: significa hacer frente a la realidad en todo su dolor, su aburrimiento y su carácter estimulante. Puede apartar nuestros pensamientos del pasado o el futuro, pero para hacerlo, los llevará a lo que está sucediendo realmente en el aquí y ahora.

Un amigo mío se refiere a *mindfulness* como «la terapia de exposición universal». Se trata de la idea de que para superar las fobias, nos exponemos gradualmente a ellas. *Mindfulness* nos sitúa frente a todos los sucesos internos y externos que tememos, que apartamos de nosotros y que evitamos.

Cuando miramos en nuestro interior, hallamos muchas cosas extrañas y maravillosas. A veces encontramos también algo que nos causa miedo y que nos recuerda por qué habíamos evitado mirar dentro de nosotros hasta entonces. Debido a ello y a lo impredecible de lo que albergamos en nuestro ser, al comenzar necesitamos la guía y el apoyo de instructores experimentados.

Un proverbio judío sugiere que «no pidamos una carga más ligera, sino hombros más grandes», que capta perfectamente cómo funciona *mindfulness* –no aletargando nuestra percepción de la realidad como ciertas distracciones, conductas o sustancias lo hacen, sino fortaleciéndonos y haciéndonos más grandes para afrontar las vicisitudes de la vida–. Este es un enfoque radicalmente distinto del que habitualmente enseñamos a los niños en nuestra cultura, que consiste en luchar, distraerse o evitar. Si algunas personas encuentran que la meditación es una huida de la realidad demasiado a menudo, probablemente la están practicando de manera equivocada.

MALENTENDIDO 6

Mindfulness es acallar todos tus pensamientos

El núcleo de la práctica de *mindfulness* no consiste en detener nuestros pensamientos, sino en hacernos más conscientes y distanciarnos de ellos. Detener los pensamientos es *mindlessness*, no *mindfulness* Es importante recordar esto, ya que muchos principiantes abandonan cuando descubren que son incapaces de detener sus pensamientos. No puedes, y no deberías, detener tus pensamientos, igual que no puedes, y no deberías, detener tu respiración.

Una analogía útil que he escuchado es que el cerebro segrega pensamientos como el páncreas segrega insulina. Pensar es el trabajo del cerebro, y no podemos controlarlo. Pero podemos estudiar este órgano, aprender a conocer sus patrones y hábitos y amoldarnos a ellos para responder a nuestros pensamientos de distintos modos. (De hecho, si *no* tuviéramos una mente errática, no tendríamos la oportunidad de estudiar y aprender de sus patrones y sus hábitos). La meditación no consiste solo en lo que está sucediendo o no en nuestras mentes, cuerpos, pensamientos o experiencias; consiste en cómo nos relacionamos con lo que está ocurriendo. La meta es cambiar nuestra relación con nuestros pensamientos.

MALENTENDIDO 7

Mindfulness y meditación son parches rápidos

Nuestra cultura quiere parches rápidos. Sí, estas prácticas pueden hacer que te sientas bien, especialmente al comienzo, lo cual refuerza la motivación para practicar. Algunos cambios positivos, incluyendo la detención de la respuesta *luchar o huir* cuando no resulta ni necesaria ni deseada, *puede* que ocurran rápidamente. Pero, en su mayor parte, las prácticas de *mindfulness* tratan de crear una evolución interna paulatina, más que una rápida revolución. Como el ejercicio físico, cuanto más practicamos *mindfulness*, más nos beneficiamos.

MALENTENDIDO 8
Mindfulness es (solo) relajación o un estado de trance

Como he descrito antes, la meditación a menudo puede activar la respuesta de relajación, pero es mucho más que eso. Tampoco es un estado de trance o de hipnosis, aunque algunas prácticas de *mindfulness* guiadas al estilo de visualizaciones son muy similares a algunos tipos de estados hipnóticos.

MALENTENDIDO 9
Las prácticas de *mindfulness* son autoindulgentes

Cuando alguien sugiere que *mindfulness* es autoindulgente, yo respondo con una pregunta sencilla: «¿Sabes cuáles son las tres causas principales de muerte entre los jóvenes de Estados Unidos? Ni el cáncer ni las sobredosis de drogas están en la lista. Las tres causas principales de muerte en los jóvenes entre quince y veinticuatro años, según los Centros de Control y Prevención de Enfermedades, son, en este orden, los accidentes («daño no intencionado»), el suicidio y el homicidio.[5]

Sabiendo esto, ¿qué sucedería si nuestra sociedad fuera un poco más *mindful*, si prestara atención al momento presente con amabilidad y sin juzgar, con compasión y autocompasión? Probablemente morirían muchas menos personas antes de que su vida adulta haya ni siquiera comenzado. Llevar las prácticas de *mindfulness* a los niños y adolescentes es cuestión de salud pública. (Merece la pena observar que cuando el maestro de *mindfulness* Thich Nhat Hanh fue galardonado recientemente con un premio en Harvard, esto no sucedió en la Harvard Divinity School, ni en la Graduate School of Education, ni siquiera en la Medical School, sino en la Harvard Chan School of Public Health).

Nuestra cultura tiende a confundir y mezclar las ideas de velar por uno mismo con autoindulgencia. Lo que algunos pueden considerar cuidarse es a menudo autoindulgencia, y viceversa. Realmente, llevar *mindfulness* a una audiencia importante forma parte de la salud pública, porque cuando aprendemos a cuidarnos a nosotros, somos capaces de cuidar a otros. La investigación muestra también que las personas que practican *mindfulness* comen mejor y practican ejercicio más regularmente. Desarrollar la compasión y velar más hábilmente por el mundo que nos rodea difícilmente puede considerarse autoindulgente.

MALENTENDIDO 10
Mindfulness nos vuelve pasivos o débiles

Mindfulness no convertirá a nadie en un felpudo, ni nos hará indiferentes ante el peligro. De hecho, la investigación muestra que los meditadores todavía se estresan y tienen reacciones emocionales, pero se recuperan más rápidamente que los no meditadores. Por decirlo de otro modo, todavía habrá tormentas, pero podemos navegar en nuestro barco a través de ellas de manera calmada. Eso es lo que queremos darles a los más jóvenes: la capacidad de leer su propio pronóstico emocional y responder, es decir, manejar los momentos emocionalmente tormentosos que son la sustancia de la vida, más que darles la espalda o quedar paralizados. Eso se logra estando en el momento presente, viendo lo que es, en lugar de escapando de ello o distorsionándolo. De este modo, las prácticas de *mindfulness* nos hacen más fuertes y más capaces de responder a la vida, nunca pasivos y apáticos. Y la ciencia respalda que *mindfulness* ayuda a la gente a volverse más resiliente a los traumas y reveses, tanto los grandes como los pequeños.

La idea de que *mindfulness* nos fortalece resuena con los niños y adolescentes de hoy en día. Lo que oigo una y otra vez de los jóvenes que practican *mindfulness* es que se sienten empoderados, a menudo desde la primera vez, en sus cuerpos, sus mentes y sus vidas. Esto sucede porque *mindfulness* es suyo; es algo que ningún padre o madre, ningún instructor, ningún matón ni ninguna cárcel les puede arrebatar. No es una píldora que un médico les pueda recetar o un problema que un progenitor, un maestro o un policía puedan resolver. Ni siquiera tiene que saber nadie que están practicando. La mayoría de los ejercicios de este libro son lo suficientemente sutiles como para realizarlos tranquilamente en una clase caótica, en el campo de beisbol o entre bambalinas durante una representación escolar. Cualquiera puede practicar el movimiento consciente en su habitación, mientras espera en una cola o incluso en la celda de una cárcel. Los niños, y en particular los adolescentes, ansían autenticidad, ser dueños de sí mismos y empoderamiento; la práctica de *mindfulness* brinda las tres cosas. Ofrecerles las herramientas para encontrar respuestas en el interior, más que mirar fuera, es otorgarles el don de la independencia para toda la vida.

CAPÍTULO

3

Construyendo los fundamentos

Tu propia práctica de *mindfulness*

Una mujer se sentó en el exterior de un santuario, observando a todos los hombres y mujeres que pasaban entre los mendigos, los enfermos, los ancianos y los descastados, sin darles nada, sin apenas verlos. Girándose hacia el cielo, la mujer gritó:
—¿Cómo puede un creador amoroso ver el sufrimiento que yo veo y más, y no hacer nada para ayudar?
Durante un momento hubo un silencio, y luego, una voz respondió:
—Claro que hice algo, hija mía, te creé a ti.

Cuento sufí

Una de las preguntas más comunes que oigo de padres y profesores por igual es: «¿Cuál es la mejor práctica para un niño que está en medio de un berrinche?». No hay un truco de respiración mágica que se le pueda ofrecer, ni una treta para que se acabe una rabieta. La mejor práctica para un niño en modo berrinche es *tu* práctica. La presencia no reactiva de un adulto y la sabiduría y compasión que hemos cosechado de nuestras propias prácticas formales e informales de *mindfulness*: eso es lo que más necesita un niño en apuros. Este capítulo explorará cómo establecer y mantener nuestra propia práctica –la manera más importante y potente de compartir *mindfulness*.

LA INVESTIGACIÓN

La atención plena y la compasión comienzan con nosotros, y toda la evidencia sugiere que, a diferencia de las teorías trasnochadas, las transmitimos realmente a los niños y adolescentes que forman parte de nuestras vidas. Esto ocurre a través del ejemplo –que les permite ver *mindfulness*, la compasión, y sus efectos en acción– y a través de las neuronas espejo, las partes de nuestro cerebro que hacen posible que los demás capten nuestras emociones (en la sección «Hacer frente a las emociones contagiosas», en este capítulo, te ofrezco más información sobre ellas). Demostramos también nuestro esfuerzo y humildad cuando aprendemos por nosotros mismos los retos y beneficios de una práctica de *mindfulness* regular. Lo que asimilamos de nuestra propia práctica es directamente aplicable a las situaciones más difíciles a las que nos enfrentamos como cuidadores, incluyendo la firme resistencia de nuestros hijos o los accidentes graves.

La investigación es clara: si tienes hijos y practicas *mindfulness*, es probable que tengas una familia más feliz, más sana, con mejor comunicación y menos conflictos.[1] Si eres maestro y sabes cómo lidiar con tu estrés, tus alumnos aprenderán y se comportarán mejor.[2] Si eres médico y trabajas con tu compasión, con *mindfulness* y con las habilidades de la gente, tus pacientes confiarán en tus decisiones, seguirán tu consejo y se curarán antes. Si eres terapeuta, aumentará tu atención y tu sintonía con tus pacientes, por lo que estos mejorarán más rápidamente –resultados que se han demostrado en estudios doble ciego.[3]

La investigación ha demostrado que la práctica de *mindfulness* disminuye el agotamiento y el estrés traumático secundario y aumenta la empatía y la comunicación eficaz. El mejor modo de crear niños estresados e infelices es que estén rodeados de adultos estresados e infelices. Lo opuesto también es cierto: adultos calmados y compasivos es mucho más probable que den como resultado unas condiciones bajo las cuales los niños se desarrollen calmados y compasivos. El mejor pronosticador de los niveles de estrés de los niños son los niveles de estrés de los adultos que forman parte de su vida. Después de nacer nuestro hijo, su pediatra nos dijo: «He visto un montón de niños ansiosos que no tienen padres ansiosos, pero casi nunca he visto padres ansiosos que no tengan niños ansiosos».

EMPEZAR Y MANTENER UNA PRÁCTICA DE MEDITACIÓN *MINDFULNESS*

Muchos instructores de meditación fantásticos aconsejan sinceramente que se comience una práctica de meditación *mindfulness*. Yo te recomiendo encarecidamente que, si puedes, encuentres tu propio instructor o centro de *mindfulness*, para que te ayude a empezar con tu práctica. Permíteme también darte algunos consejos prácticos de mi propia experiencia como meditador e instructor de meditación.

La primera pregunta que hay que hacerse es: ¿en qué momento del día tienes unos minutos para apartarte y meditar, aunque solo sean cinco o diez? ¿Por la mañana temprano, al mediodía, durante la siesta de tu hijo o por la noche antes de irte a dormir? Puesto que la coherencia es clave para crear un hábito, resulta útil realizar la práctica siempre en el mismo momento del día. Si no dispones de ningún tiempo libre para meditar, no te preocupes. Hay muchos modos de incorporar *mindfulness* a tu vida poniendo más conciencia a lo que estés haciendo ya (consulta el capítulo 11 para un mayor desarrollo de la idea de trabajar con estos momentos).

¿Tienes hábitos ya existentes sobre los que puedas construir? Cuando era maestro, desde el trabajo iba a casa, corría durante una media hora e inmediatamente después me sentaba a meditar. El hábito del ejercicio físico era una base sencilla para el ejercicio mental y me ofrecía también un estímulo cognitivo que me ayudaba a sentarme en un silencio concentrado. ¿Hay en tu caso rutinas diarias a las que pueda vincularse tu práctica? Del mismo modo que algunos entrenadores de *fitness* recomiendan que te pongas las zapatillas de deporte, salgas a la calle y veas qué sucede, muchos instructores de meditación aconsejan: «Siéntate en tu cojín un momento y comprueba si comienzas a practicar».

Si tienes una agenda muy ocupada, apunta en tu plan diario el tiempo de meditación o pon un recordatorio en tu teléfono. Puede sonar exagerado, pero ¿cuántos de nosotros decimos: «Si no está en mi agenda, no existe»?

Igual que el ejercicio físico, practicar *mindfulness* puede ser más fácil cuando lo hacemos con amigos o en una comunidad. ¿Tienes amigos o colegas del trabajo con los que puedas sentarte y meditar regularmente? ¿Hay un grupo de *mindfulness* en tu comunidad que se reúna regularmente? Tu familia también puede ser un perfecto recordatorio, y podéis inspiraros mutuamente. Otras personas tal vez te sean útiles al presentarte a alguien con quien hablar de tu práctica. Compartir los beneficios y retos que esta te aporta puede ser inspirador. ¿Tienes aunque sea un solo amigo con quien conectarte de forma regular –por teléfono, correo electrónico o cualquier red social– para inspiraros mutuamente? La investigación muestra que cuando les decimos a otros que vamos a hacer algo, es más probable que sigamos haciéndolo. Si no tienes a nadie con quien hablar sobre tu práctica, piensa en la posibilidad de escribir tus experiencias en un diario.

Tener un CD de meditación guiada, un archivo de audio o una aplicación puede ayudarte en las primeras etapas a la hora de establecer o restablecer una práctica formal. También resulta útil un lugar cómodo en el que meditar. Comprar un equipamiento sofisticado generalmente no es de gran ayuda ni necesario, pero igual que el calzado adecuado puede marcar la diferencia cuando se trata de realizar ejercicio físico, invertir en un buen cojín o un banquito de meditación, así como hallar una postura física que te vaya bien, te permitirá practicar de manera más cómoda.

Encontrar una postura correcta, cómoda, que puedas prolongar durante toda la práctica y que te mantenga despierto es lo más importante. Utiliza tu imaginación. Algunos encuentran útil imaginar una cuerda que sale de la parte superior de su cabeza y los eleva; Jon Kabat-Zinn sugiere sentarse «noblemente», como un rey o una reina en un trono. Con las piernas cruzadas o no, pero formando una especie de trípode con las nalgas y los pies, es lo más estable. Las manos pueden descansar en el regazo o sobre las piernas. Sentarse es solo una elección entre las distintas posturas; puedes estar de pie o acostado, con tal de que la postura sea cómoda y puedas mantenerla.

Finalmente, establece metas razonables para tu meditación –y preferiblemente ninguna meta sobre el resultado–.

Si decides practicar durante una hora cada día empezando mañana, es menos probable que medites regularmente durante un año que si empiezas con cinco minutos los días laborables y diez los fines de semana, y a partir de ahí vas aumentando. Cuando no medites, no seas demasiado duro contigo mismo. Simplemente, igual que rediriges la mente durante una meditación *mindfulness*, de manera suave y compasiva, vuelve a tu práctica de meditación sin recriminarte que hayas perdido una sesión.

Los retiros de meditación son útiles, porque te ofrecen no solo un lugar para meditar sin ser molestado, sino que, igual que el entrenamiento para una carrera, también algo que poner a punto. Asistir a un retiro también renueva tu práctica de meditación en casa. Piensa en la posibilidad de realizar uno, idealmente con gente de tu ámbito geográfico o profesional con la que puedas estar conectado después.

Cuando los niños forman parte de nuestras vidas, las distracciones son inevitables, y los momentos silenciosos y tranquilos se convierten en un lujo raro. Meditar de manera regular y predecible os ayudará a ellos y a ti. Comunícale a tu familia, incluidos tus hijos, la importancia que tiene su apoyo para tu práctica. Te ayudará a sentirte más feliz, más calmado, y a ser más paciente. Silencia tu ruidosa mente o calma tus pensamientos. Siempre aprecio las palabras de la escritora Anne Lamott: «Casi todo funcionará de nuevo si desconectas durante unos minutos, incluyéndote a ti». Pedirles que te apoyen despertará su curiosidad lo suficiente como para unirse a ti.

EL PODER DE LAS PRÁCTICAS INFORMALES DE *MINDFULNESS*

¿Puedes encontrar un momento para respirar? ¿Hay tiempo en tu atareado horario, entre tus obligaciones, en el que puedas ponerte en contacto contigo mismo o comer conscientemente? ¿Realizas una sola tarea a la vez y eres consciente de lo que haces a lo largo del día? ¿O normalmente funcionas con el piloto automático? Muchas prácticas informales nos recuerdan el poder (y el reto) de hacer una sola cosa a la vez, acallar nuestra propia crítica derrotista con autocompasión, reconectarnos con la atención plena que ya tenemos y cultivar la sabiduría y la perspectiva para seguir avanzando en este viaje.

REALIZAR UNA SOLA TAREA A LA VEZ

Una manera sencilla de llevar *mindfulness* a nuestras vidas diarias es abandonar los hábitos de desempeñar varias actividades al mismo tiempo y decidir emprenderlas de una en una. Todos tratamos de hacer mil cosas al mismo tiempo, pero esto realmente puede estresarnos. La investigación pone de manifiesto que la multitarea es un mito. Lo que creemos que es hacer varias cosas al mismo tiempo de hecho es prestar atención a una cosa detrás de otra en una sucesión muy rápida, y los estudios muestran que terminamos haciendo la mitad en el doble de tiempo. Sin embargo, como estar ocupados es estimulante y hace que nos sintamos bien (y realmente obtenemos una inyección de dopamina cuando estamos muy atareados), la multitarea refuerza la ilusión de ser muy eficiente, lo que la convierte en un hábito difícil de romper.

Mi amigo Peter, terapeuta y practicante de *mindfulness*, estaba en medio de un día ajetreado, cocinando, haciendo un trabajo urgente y habiéndoselas con el estrés de intentar comprar algo mientras su mujer estaba fuera de la ciudad. Cuando su hijo de ocho años le pidió ayuda con sus deberes, Peter se desmoronó.

—No puedo hacer seis cosas al mismo tiempo –gritó–. ¡Solo puedo hacer una cosa a la vez!

Su hijo primero se quedó de piedra; luego, lo miró con curiosidad y le preguntó, como solo un niño puede hacerlo:

—Bueno, papi, entonces ¿por qué no puedes?

La monotarea, hacer solo una cosa cada vez, es importante para mantener el equilibrio. La siguiente práctica sencilla demuestra el poder de este hábito –de tomárnoslo con calma y prestar atención solo a una cosa a la vez en el momento presente–:

Con los ojos cerrados o abiertos, coloca suavemente un dedo en el centro de tu frente.

Simplemente siente el dedo contra tu frente.

Y siente las sensaciones de tu frente contra el dedo.

Puedes percibir la temperatura, la textura, la humedad, incluso detectar tu pulso.

Permanece con esta atención un poco más.

Si la mente vaga, vuelve a llevarla, suavemente, a la sensación de tu dedo en la frente.

Luego, abre los ojos, baja la mano y percibe cómo te sientes.

Si te has dado cuenta de tu experiencia, eso significa que has experimentado *mindfulness*

ALIVIAR LA PRESIÓN

Muchos de nosotros sentimos la tremenda presión de querer ser el padre perfecto, el maestro más inspirador o el ayudante más carismático, que alivie el sufrimiento de los niños. Tenemos una voz interna crítica que nos dice que no nos estamos esforzando bastante. El crítico interno puede hacerse eco de voces de nuestra infancia o de voces de la opresión y la intolerancia de nuestra sociedad.

Hay también presiones externas que nos afectan –los juicios de otros padres, pruebas académicas de alto rendimiento, escuelas u organizaciones que valoran los números por encima de las aptitudes, etcétera–. Los sentimientos de incompetencia y la preocupación se nos transmiten inconscientemente, e inconscientemente los pasamos a nuestros hijos. La mayoría de nosotros tenemos un deseo básico de agradar, y todos queremos que los demás nos vean como personas competentes, pero eso nos crea todavía más ansiedad. Sea cual sea su origen, nuestro crítico interno resulta difícil de ignorar y se manifiesta de maneras sutiles e insidiosas en nuestras vidas, dando lugar a las mil alegrías, tristezas y situaciones de estrés que proceden de estar junto a los más jóvenes.

Los padres se encuentran bajo una presión increíble, e incluso en las profesiones en las que se vela por los demás hay un índice increíblemente alto de agotamiento, consumo de drogas, contratiempos y estrés traumático secundario. Esto es lo que convierte *mindfulness*, la compasión y la autocompasión en algunas de las prácticas más importantes que podemos llevar a cabo para nosotros mismos y mostrar a la gente que se halla a nuestro alrededor. Suponen cuidarse a sí mismo verdaderamente. Llevar *mindfulness* a ciertas actividades –por ejemplo, comer chocolate con atención plena– puede ser tanto una medida de cuidar de uno mismo como un acto de autoindulgencia.

CONECTAR CON SEMILLAS QUE YA ESTÁN PLANTADAS EN TI

Yo no aprendí a meditar cuando era niño. Mis padres no eran especialmente religiosos y, aunque ciertamente eran espirituales, no me enseñaron *mindfulness* de un modo formal. Sin embargo, cuando de joven me interesé por *mindfulness* y reflexioné sobre mi vida pasada, algunos de los recuerdos de mi infancia más queridos estaban llenos tanto de *mindfulness* como de compasión. Contemplar cómo las nubes se forman y desaparecen en el cielo de verano con mi padre, caminar en silencio y de manera resuelta mientras escuchaba los sonidos del bosque, aspirar todo el aire que mis pulmones eran capaces de almacenar para crear la pompa de jabón más grande y redonda que pudiese, antes de que estallara –estos momentos incluyen muchos de los elementos de *mindfulness*.

Tómate un minuto para pensar en tu propia infancia. ¿Hay memorias de tu niñez o de otras etapas de tu vida que contengan elementos de *mindfulness* –prestar atención al momento presente con aceptación y sin juzgar?

Cuando hago esta pregunta a gente de todo el mundo, surgen algunos temas comunes. Muy a menudo, los sonidos, olores, sabores u otras sensaciones forman parte de los recuerdos. Nuestros sentidos permanecen siempre en el presente, incluso cuando nuestras mentes están corriendo hacia el pasado o hacia el futuro. A menudo, las memorables escenas conscientes ocurren en la naturaleza o cerca de ella, con sentimientos de calidez y seguridad.

Ni siquiera es necesario retroceder hasta la infancia; basta con observar los momentos diarios en los que puedes experimentar *mindfulness* actualmente o con pensar en cómo podrías llevar *mindfulness* a la jardinería, cuando caminas, al preparar la cena o en otras actividades cotidianas.

Si eres nuevo en esta práctica, observa qué experiencias familiares pueden haberte permitido experimentar ya los elementos de *mindfulness*. Quizás has practicado yoga o tai chi, disfrutado de una visualización guiada o probado con la relajación progresiva de los músculos o la hipnosis –todos ellos muy cercanos a *mindfulness*–. Es probable que *mindfulness* tenga más en común con tus valores, intereses y actividades de lo que pudieras haber pensado al comienzo.

HACER FRENTE A LOS CONTAGIOS EMOCIONALES

Cuando pasamos un tiempo con niños, inevitablemente tiene lugar un conflicto en el momento en que nuestros propios deseos y necesidades entran en lucha con los suyos. Cuando nos encontramos atrincherados ante un niño enfadado o presa de una fuerte emoción, es difícil que no nos enfademos nosotros también. Las emociones, especialmente las emociones fuertes en personas de las que nos ocupamos, son contagiosas. Pero, igual que las emociones llamadas negativas son contagiosas, también lo son las de calma y compasión.

Como describí en el capítulo 1, las neuronas espejo del cerebro son las que nos permiten sentir las emociones y experiencias de la gente que nos rodea. Por ejemplo, si estoy observando cómo te comes un plátano, las neuronas de mi cerebro implicadas en el hecho de comer plátanos comienzan a activarse. Del mismo modo, si estoy sentado cerca de ti, sintiéndome triste o enfadado, es probable que las neuronas de la tristeza o el enfado se activen también en tu cerebro; de este modo, tú estás *sintiendo* esas emociones, no solo detectándolas.

Estamos constantemente absorbiendo emociones de los que nos rodean. Eso es parte de la razón por la que estar con niños y adolescentes, con sus montañas rusas emocionales, puede ser tan agotador. Cuando nuestras mentes y nuestros corazones están nublados por la emoción, no respondemos con nuestras mentes más sabias ni nuestros corazones más abiertos. Nuestra capacidad de calmarnos en medio de la tormenta emocional de un niño ofrece esperanza, porque indica que la calma es posible en medio del caos.

El conflicto, con nuestros hijos y entre nosotros los padres, es inevitable. Si bien podemos intentar evitarlo, la investigación ha demostrado que, para los niños, ver conflictos no necesariamente resulta problemático. Lo más importante es cómo nos comportamos –qué conductas ejemplificamos– cuando estamos inmersos en un conflicto y en su resolución. Esto significa que nos toca a nosotros, como adultos, tomar la iniciativa y demostrar que es posible calmarse y volver a conectarnos –con nuestros hijos, con quienes están implicados en el conflicto y con nosotros mismos.

¿Qué técnicas has empleado para ayudar a tus hijos a permanecer en calma? ¿Cuál era tu estado emocional en esos momentos? ¿Qué sucedió cuando ellos, o tú, os enfadasteis más? ¿Cuál era tu estado emocional en esos momentos?

Estas preguntas te ayudan a construir a partir de tu propia experiencia.

Conservar nuestra calma en medio del berrinche de un niño o los gritos de un adolescente es más fácil de decir que de hacer. Hay unos cuantos enfoques que podemos adoptar. Decirle a un niño enfadado que practique *mindfulness* para tranquilizarse es mucho menos probable que funcione que tranquilizarnos nosotros mismos. La mejor manera de hacer esto es tener una sólida base de práctica *mindfulness* formal e informal que reprograme nuestro cerebro para ser atento y amistoso con ese infeliz niño, más que luchar o evitarlo. Recuerda, cuando estamos furiosos, solo vemos amenazas, y no el contexto más amplio.

En esos momentos puede resultar difícil recordar la respiración, por lo que otras prácticas de *mindfulness* informales pueden ser útiles. Podemos cambiar nuestras mentes cambiando nuestros cuerpos. Intenta llevar la atención a los pies, aflojar los puños, sentarte o recostarte y percibir las sensaciones. También puedes mirar la habitación detenidamente o echar una ojeada por la ventana durante un momento para ganar perspectiva, antes de enfrentarte a la situación.

Aun así, si pierdes la calma, no te preocupes: es algo que a veces sucede. Lo mejor que puedes hacer en estas ocasiones es perdonarte (utilizando la autocompasión), reflexionar sobre lo sucedido y hablar con tu hijo o alumno en cuanto puedas, una vez recobrada la calma. Responsabilizarnos de nuestras palabras y nuestras acciones es la mejor manera de enseñarles a responsabilizarse de las suyas.

¿CÓMO LO SÉ?

Parafraseando a mi amigo y colega terapeuta Ron Siegel, las cosas generalmente funcionan mejor cuando todo el mundo está *presente* en la habitación.

Una de las prácticas más sencillas para estar presente y enraizado en tu experiencia del momento presente es preguntarse a lo largo del día: «¿Cómo sé que estoy haciendo lo que estoy haciendo?». Verifícalo con todos tus sentidos, y también con tus pensamientos y tus sentimientos: «¿Cómo sé que estoy escuchando a mis hijos? ¿Estoy pensando en una respuesta antes incluso de que terminen de hablar, o estoy abierto a sus ideas?», «¿Cómo sé que estoy enseñando? Oigo mi voz hablando y veo que los niños están sintonizando –al menos en cierto modo–». «¿Cómo sé que estoy conduciendo? Puedo sentir mi coche vibrando, el motor rugiendo, y veo pasar el paisaje».

¿QUÉ HA IDO BIEN?

La instructora de *mindfulness* Sharon Salzberg nos recuerda que para hacer algo que suponga un reto, durante un tiempo largo, ya sea la paternidad, la enseñanza o la sanación, realizamos una práctica deliberada de ver y conectar con la resiliencia positiva y la humanidad, en los demás y en nosotros mismos. Con esa idea en mente, tómate un momento para conectar con lo positivo. ¿Qué niños o adultos que formen parte de tu vida te inspiran actualmente con su creatividad o su resiliencia? ¿Cuál de tus colegas o tus mentores? ¿Qué y quién te ha sostenido en los tiempos difíciles en el pasado? ¿Qué éxitos has tenido hoy, esta semana o este año a los que puedas agarrarte? La educadora y escritora cuáquera

Irene McHenry sugiere hacerse la pregunta «¿Qué ha ido bien?» con cierta regularidad. También puedes preguntarte: «¿Qué es lo que *no* está mal?». Es una buena práctica para realizarla nosotros mismos, pero también con nuestra pareja o los compañeros de trabajo cuando nos sentamos para revisar juntos el día o en una reunión. Del mismo modo, no olvides ofrecerles tu gratitud y aprecio a tus hijos, a tu pareja y a tus compañeros de trabajo, en persona o electrónicamente.

Cuando conectas con lo positivo, date un tiempo para sentir realmente esas experiencias y permitir que se asienten. La investigación muestra que las percepciones negativas se codifican y almacenan de forma instantánea en el cerebro, convirtiéndose en archivos en nuestra mente que nos dicen que el mundo es un lugar negativo. Las percepciones positivas tardan más tiempo en codificarse –de veinte a treinta segundos–. Así pues, concédete un momento ahora, en este preciso instante, para contemplar y saborear aquello que es positivo en el día de hoy –siente esas emociones y permite que penetren en tu interior y reconfiguren tu perspectiva.

Sopesa la posibilidad de escribir lo que ha ido bien para tener algo a lo que volver más tarde y piensa en compartir esta práctica con tus hijos de manera regular.

SEGUIR TU INSTINTO

Uno de los retos que supone el hecho de trabajar con niños es que a menudo tenemos que tomar una decisión difícil, pero nos atascamos y no sabemos qué hacer. Kelly McGonigal es una psicóloga de Stanford que enseña conciencia corporal a través de prácticas como el yoga. Sugiere una práctica sencilla para tomar decisiones en momentos difíciles, y yo la he adaptado aquí (algunos la denominan «escuchar con tu cerebro instintivo»).

Busca un momento para ti, encuentra una postura cómoda y cierra o descansa los ojos de manera que no se distraigan.
Lleva a tu mente ese asunto importante y pregúntate: «¿Qué quiero realmente en esta situación?».
Imagina que has tomado una decisión.
Dite a ti mismo: «He tomado la decisión de hacer ______. Voy a hacerlo. Mi mente está decidida».
Haz que esta decisión sea lo más vívida posible en tu imaginación.
Al hacerlo, escanea rápidamente tu cuerpo, percibiendo cómo te sientes.
Date cuenta de la cualidad de tu respiración y de cualquier tensión.
Lleva tu atención especialmente a las sensaciones del torso. Obsérvalas en silencio, para ti mismo.
Respira y libera de tu mente todo ese escenario relacionado con la decisión
Haz unas cuantas respiraciones profundas, permitiendo que tu cuerpo y tu mente se reajusten.
Ahora, invierte el escenario, diciéndote: «No, no voy a hacer eso. En su lugar, me decido a hacer ______. Eso es lo que haré definitivamente».
Una vez más, haz que este escenario sea lo más vívido posible en tu imaginación.
Escanea tu cuerpo. Observa tu respiración. Percibe las sensaciones del torso, especialmente las del corazón y

las del abdomen Presta atención a lo que tu cuerpo te esté comunicando.
Obsérvalas en silencio, para ti mismo.

Yo mismo llevo a cabo esta práctica antes de tomar decisiones importantes y con frecuencia la comparto con mis pacientes. Una chica de quince años que vi recientemente pasó la mayor parte de la sesión de terapia debatiéndose entre si romper con su novio o no. Se sentó en mi sofá, con los ojos cerrados, pero atenta, mientras la guiaba a través de la práctica. Terminamos y sus ojos se abrieron de golpe:

—Tengo que romper con Jamie –exclamó, sin dudarlo ni un momento.

Otro estudiante que vi utilizaba esta práctica para tomar la difícil decisión de decantarse entre dos universidades de élite en las que había sido aceptado.

LA IMPORTANCIA DE TU PROPIA PRÁCTICA

Cuando me estaba formando para ser terapeuta, se me recordaba que no tengo ni un escalpelo ni un martillo; la herramienta con la que trabajo soy yo mismo. Lo mismo vale para ser padres o para cualquier modo de trabajar con niños. Si tu cuerpo, tu mente y tu corazón son tus herramientas, necesitas entrenarte con ellas, realizarles un mantenimiento, agudizarlas, conocer sus peculiaridades, ser consciente de que cambiarán con el tiempo y darte cuenta de lo que ocurre cuando han trabajado excesivamente. La práctica de *mindfulness* es un modo de hacer esto.

Velar por uno mismo es fundamental para mantenerse conectado a largo plazo y no agotarse con un estrés traumático secundario. ¿Cuánto tiempo dedicas a cuidarte a ti mismo? ¿Haces las cosas de una en una? ¿Buscas momentos para conectar con tu respiración y estar en contacto con el momento presente? ¿Eres compasivo y generoso contigo mismo tanto como con los demás? ¿Recuerdas de dónde extrajiste fuerza en otros momentos difíciles?

El escritor, maestro y activista Parker J. Palmer, en su inspirador libro *El coraje de enseñar,* nos recuerda que «enseñamos lo que somos». Este principio se aplica a todos nosotros. Cuidamos a los demás a partir de lo mejor y lo peor de nosotros mismos, enseñando y dando ejemplo a aquellos que lo buscan en nosotros, lo queramos o no, en todo momento. Muchos nos movemos en entornos caóticos –nuestras casas, hospitales, campamentos o escuelas–. Nuestro trabajo con los niños a menudo está infravalorado, mal pagado y resulta invisible. Sin apoyo externo o interno, podemos experimentar estrés traumático secundario y agotamiento, sin importar lo que amemos a esos niños.

Aprender a valorarnos y buscar tiempo para cuidarnos es importante para nuestra capacidad de estar plenamente presentes para los niños y conectados con ellos. Tenemos que aprender a estar presentes para nosotros mismos antes de poder estar presentes para otros. Cuando lo logremos, podremos conectar con ellos desde un lugar de equilibrio enraizado, informado por intuiciones procedentes de nuestra propia práctica. Yo encuentro que debido a mi práctica de *mindfulness*, puedo sintonizar con la realidad de una situación y escuchar lo que está ocurriendo más allá de las palabras de mis pacientes y de otras personas que forman parte de mi vida.

Cuando estuve trabajando en barrios pobres, tenía una gran cantidad de casos de jóvenes iracundos, a uno de los cuales recuerdo bien, un inmigrante de Cabo Verde, llamado Adriao, que pasó los primeros años de su adolescencia entrando y saliendo de instituciones del estado, ya que estaba bajo su cuidado y custodia. Luché por sentir una conexión con aquel niño de doce años que, cuando no estaba bajo custodia estatal, se pavoneaba por los alrededores de los institutos, empujando a los compañeros de clase y profiriendo palabrotas a los maestros, mientras que en mi consultorio se sentaba tranquilamente y jugaba con muñecos de acción. Por diversas razones, dejé ese trabajo y tuve que darles la noticia a los niños. No pensaba que Adriao se preocuparía, ni siquiera que se percataría.

—¡Ahora no puede irse, doctor Willard. Usted *no puede* irse! Iré a su nuevo trabajo y lo traeré arrastrando aquí, a la sala de terapias, con la cabeza golpeando en los escalones todo el rato. Luego, agarraré un revólver y escribiré «doctor Willard» con agujeros de balas en la pared. ¡No, no puede irse! –protestó.

Mucha gente puede ver en estas palabras a un joven enojado –un joven amenazador o peligroso–. Quizás lo fue en ciertos momentos de su vida, pero lo que yo escuché por debajo de eso fue: «Lo echaré de menos». Le hice de espejo y en mi lenguaje le dije: «Yo también voy a echarte de menos, Adriao».

Mindfulness nos permite discernir lo que estamos oyendo o viendo verdaderamente, mirar y escuchar más profundamente y percibir la verdad que subyace al sufrimiento de aquellos que nos rodean e incluso a nuestro propio sufrimiento. Cuando podamos hacer eso, los niños y los adolescentes se darán cuenta y se abrirán a nuestras ideas.

Las prácticas de *mindfulness* nos ayudan a sentirnos más cómodos con nosotros mismos. Cuando comencé con mi trabajo terapéutico, tuve un colega bastante mayor, y yo quería ser desesperadamente como él: el anciano sabio terapeuta. Pero yo no era así. Tampoco soy el terapeuta estilo rapero que juega al baloncesto, como algunos de los que trabajan conmigo, aunque durante un tiempo lo hice. En un momento determinado, me di cuenta de que tengo mis propias fortalezas, mis propias bazas, y que debería jugarlas. Ahora que soy padre, sé cuáles son algunas de mis fortalezas, y sé pedir ayuda cuando lo necesito. Sentirnos cómodos con nosotros mismos manda un fuerte mensaje. No importa lo cerebrito o lo fuera de onda que creamos ser, cuando les mostramos a los más jóvenes que estamos bien con nosotros mismos, les decimos que es agradable ser uno mismo, seas quien seas. Los mensajes de aceptación y autoaceptación, implícitos o explícitos, son de la máxima importancia para ellos. *Mindfulness* puede ser una gran parte de eso.

Practicar *mindfulness* nos ayuda también a ser más auténticos. La autenticidad es algo ansiado por los jóvenes. Tienen buenos detectores de la falsedad, por lo cual pueden intimidar. El deseo de autenticidad está parcialmente programado en el cerebro adolescente. Para muchos niños, poder detectar las intenciones auténticas, los propósitos ocultos y las verdaderas motivaciones es cuestión de supervivencia, especialmente si han sufrido tiempos difíciles. Cuanto más auténticos podamos ser, más genuinas y llenas de confianza serán nuestras relaciones con ellos.

Cuando nos conocemos y nos aceptamos, estamos en la mejor disposición posible para ayudarles. Podemos saber cuáles son nuestras fortalezas y funcionar desde ellas, más que desde nuestros puntos ciegos.

Se ha dicho que la meditación *mindfulness* fortalece dos cualidades: la sabiduría y la compasión. ¿Hay otras dos cualidades que merezca la pena cultivar en nuestra relación con los jóvenes?

CONDUCIENDO CON ATENCIÓN PLENA

Un instructor de *mindfulness* me sugirió una vez que condujera un tramo de mi trayecto al trabajo, una vez a la semana, sin escuchar la radio, hablar por teléfono ni beber mi café. Al principio no me pareció una gran idea, pero cuando lo intenté, percibí las vibraciones del coche, que me recordaban que tenía que cambiar de marcha. Fui mucho más consciente de los pensamientos y sentimientos que surgieron al eliminar una o dos distracciones de esta actividad regular. No conduzco todo el tiempo de este modo, pero sí dejo de lado las distracciones durante los primeros y los últimos minutos que estoy en el coche, empezando a partir de los semáforos más cercanos a mi casa. Llevar *mindfulness* a estas partes de mi conducción me ayuda a facilitar la transición al espacio siguiente y permitirme estar verdaderamente presente cuando llego. Hacer lo mismo empezando a partir de la primera o la última parada del metro o el autobús puede que te funcione, si no vas al trabajo en coche.

Parte II

Prácticas para niños y adolescentes

CAPÍTULO

4

Introduciendo *mindfulness* a los niños

Hay que prevenir las dificultades antes de que surjan y
poner las cosas en orden antes de que existan

Lao-Tzu,
en *A Thousand Names for Joy*
de Byron Katie y Stephen Mitchell (trad.)

Cuando empezamos a compartir *mindfulness* con niños, la primera gran pregunta a menudo es: «¿Cómo consigo que les interese?». ¿Cómo podemos hacer que *mindfulness* resulte divertido y accesible para los niños pequeños y relevante para los más mayores? Incluso cuando no nos ofrecen esa mirada escéptica, los niños llegan con un abanico de procedencias, períodos de atención, estilos de aprendizaje e intereses muy variados.

PASO 1: DATE UN TIEMPO PARA PREPARAR EL TERRENO

El primer paso al introducir *mindfulness* a los niños es asegurarte de que tienes una buena relación con ellos. La buena relación puede emerger a partir de tus propias prácticas de *mindfulness* y compasión, las cuales te ayudan a permanecer conectado y ser compasivo con ellos. Cuando los niños confían en ti y conectan contigo, en general y al momento, es más probable que le den una oportunidad a todo eso que llamamos *mindfulness*. Si encuentras mucha resistencia, puede que necesites ir más despacio y dedicarles más tiempo, de otras maneras. Tu relación con tu hijo es más importante que *mindfulness*, y es poco probable que esta práctica pueda desarrollarse en una relación tensa. Si tus hijos se resisten no solo a *mindfulness*, sino también a otras muchas cosas, piensa en la posibilidad de solicitar la ayuda de otro adulto a quienes ellos admiren, como un consejero, un maestro o un terapeuta.

PASO 2: VALORA LO QUE PUEDES -Y NO PUEDES- CAMBIAR

El segundo paso es establecer y conocer tus intenciones, incluso si no las tienes muy claras. A menudo hay un propósito subyacente –generalmente un cambio en la conducta que tú (o una escuela o un profesional implicado) quieres ver–. Ahora bien, ofrecer las prácticas de *mindfulness* con la intención de cambiar puede enviarles a los niños el mensaje de que están deteriorados y necesitan un arreglo –un mensaje poco útil, que también les puede llegar de otras partes y que probablemente haga que se pongan a la defensiva.

En lugar de pensar en cómo quieres que cambien los niños, piensa en los cambios que tú puedes y quieres llevar a cabo. No puedes cambiar a los niños ni esperar que se adapten a tu manera de enseñar. Lo único que puedes hacer es cambiar cómo te relacionas con ellos, estimular el cambio en su entorno o modificar el modo de enseñarles. En última instancia, todo lo que estás haciendo es crear las condiciones bajo las cuales el cambio es más probable que suceda.

PASO 3: PIENSA EN TUS HIJOS

El tercer paso es pensar en los intereses y personalidades de tus hijos. ¿Qué les motiva y les interesa de manera espontánea? Una niña que ame los deportes puede verse motivada a aprender *mindfulness* si puede hacerlo explorando el movimiento o realizando ejercicios corporales. Un niño a quien le guste el arte podría ser introducido a *mindfulness* a través del dibujo atento, la escultura o actividades en las que la observación sea importante. Un amante de la naturaleza podría ser atraído a *mindfulness* mediante la promesa de experimentar una profunda conexión con el mundo natural.

Si tu hijo está interesado en...	Prueba estas prácticas
Deportes	Respirar con todos nuestros sentidos, Ojos del niño, Teleobjetivo y gran angular, Caminar con conciencia sensorial, La práctica del árbol, ¿Qué ha ido bien?, El espejo humano, El caleidoscopio humano
Artes creativas (dibujar, diseñar, fotografía, cine, etc.)	Aclarando las nubes, Ver con ojos diferentes, Teleobjetivo y gran angular, Caminar con conciencia sensorial, Matices del verde, El color detective
Naturaleza, actividades al aire libre	Meditación básica caminando, Caminar con conciencia sensorial, Caminar apreciativo, Surfeando el paisaje del sonido, El color detective, Matices del verde, Ojos de artista, Ojos de samurái, Buscar la quietud, Nubes en el cielo, Teleobjetivo y gran angular.

Si tu hijo está interesado en...	Prueba estas prácticas
Medios de comunicación social	Meditación en los medios de comunicación social, El órgano número setenta y nueve, Piensa antes de hablar
Ser un buen amigo, hacer nuevos amigos	Seguir tu instinto, La meditación de la sonrisa, Pasa la respiración, El espejo humano, La respiración *metta*, El abrazo de la mariposa, Práctica del espacio personal, ¿Qué ha ido bien?, Piensa antes de hablar
Cuestiones académicas, en general	Stop, La respiración 7-11, El contacto 3-2-1, Simplemente sé x 3, Aclarando las nubes, La piedra en el lago
Escribir	Escribe tu propia meditación de la respiración consciente, Cambiar nuestra experiencia
Música	Encuentra la canción, Práctica de *mindfulness* de una pista, Surfeando el paisaje del sonido
Artes representativas (actuar/ drama, cantar, interpretación instrumental, recitales, concursos de poesía, etc.)	La respiración 7-11, STOP, Buscar la quietud, La práctica de *metta*, La respiración *metta*

Otro modo de comenzar es probar las prácticas de este libro en ti, explorar lo que te resuena y por qué, y luego compartirlo con tus hijos. Puedes explicarles que te gusta aclarar tu mente después de trabajar tomando unas cuantas respiraciones 7-11 mientras esperas a que hierva el agua del té, caminar conscientemente del coche a la oficina y observar algo bello, dar el primer bocado de una comida conscientemente o escuchar con atención plena cinco sonidos por la mañana antes de salir de la cama.

Si tu hijo está luchando con alguna cuestión de aprendizaje o psicológica, TDAH o depresión, consulta el apéndice. Te ayudará a encontrar alguna de las prácticas de este libro que encajen con sus necesidades. Si tu hijo está trabajando con un terapeuta, podrías preguntarle a este si le parece bien incorporar *mindfulness* en la terapia o en la vida familiar. El terapeuta puede que también tenga más éxito que tú a la hora de lograr que tu hijo pruebe las prácticas de *mindfulness*.

El acoso escolar es un tema que, afortunadamente, está recibiendo desde hace poco, es cierto, la atención que merece. Los niños pueden practicar visualizaciones guiadas, como La práctica del árbol o La piedra en el lago para ayudarles a sentirse más seguros en las situaciones difíciles. Otras prácticas, como las de respiración breve del capítulo 11, pueden contribuir a que permanezcan tranquilos incluso cuando sienten miedo o se encuentran agobiados.

PASO 4: PON UN TEMA SOBRE EL TAPETE Y GENERA ACEPTACIÓN

Adaptar tu tono a cada niño, de forma individual, es la clave para lograr que *mindfulness* sea atractivo y se animen a probar las prácticas, formales o informales. Si bien solo tú sabes lo que captará la atención de tus hijos, he aquí algunas ideas que pueden ayudarte a elaborar tu enfoque:

Dar en el clavo de sus deseos. Puedes decirles a tus hijos que has oído que *mindfulness* ayuda en la socialización, en la escuela, en los deportes, en la conducta –en lo que pueda motivarles en ese momento–. También puedes comentar con ellos todo lo que pueden perderse al no prestar atención a su experiencia interna y al mundo que los rodea (los adolescentes a menudo hablan de la pena que da «perderse algo»). Hay vídeos en YouTube que ponen de manifiesto esta idea. A los adultos nos gusta recordarles a los más jóvenes lo que se están perdiendo en la vida o lo que desaprovechan las clases, pero quizás ellos estén más interesados en escuchar que puede que se estén perdiendo una sonrisa de ese chico tan guapo, una pelota de béisbol o una amistad potencial, si no están prestando atención.

Identificar modelos. Un colega bromeaba hace unos años: «¡Gracias, Dios mío, porque los Seahawks acaban de ganar la Supercopa. Ellos meditan, y ahora tengo algo que compartir con los niños!». Es fácil hacer una búsqueda *online* de «____________ que meditan» y llenar el espacio en blanco con algún músico, actor, atleta, científico, político o quizás incluso director ejecutivo –según a quién admire tu hijo–. Los adultos nunca somos tan astutos como creemos, pero siempre podemos sacar en la conversación que hemos oído decir que esta estrella del pop o ese atleta practica *mindfulness*.

Picar su curiosidad. Mi padre me introdujo en la práctica de *mindfulness* cuando tenía siete años, diciendo: «¿Eh, quieres ver un truco de magia?». Y me enseñó cómo hacer que se movieran las nubes y desaparecieran con cada respiración.

Analizar el estrés y sus efectos. Cuando hablo con niños profesionalmente, a menudo comienzo con el ejercicio de cuatro partes del capítulo 1, que pone de manifiesto cómo nuestros cuerpos y nuestras mentes funcionan juntos para influir en cómo pensamos y sentimos. Los jóvenes universitarios captan inmediatamente cómo el estrés interfiere en sus vidas académicas y sociales.

Sé consciente de que la gestión del estrés como factor motivador es un arma de doble filo. Es cierto que los adultos se preocupan por el estrés y los niños se quejan de él, pero también puede ser una prueba de valor. Recientemente dirigí un grupo de *mindfulness* en una escuela altamente potentada y lo avisé con dos series de signos alrededor del campus: una vez anunciando el grupo de *mindfulness* y la otra anunciando un grupo de reducción del estrés. Recibí casi diez veces más preguntas sobre el grupo de *mindfulness* que sobre el grupo de reducción del estrés. Por eso el ejercicio de cuatro partes es útil: muestra los efectos negativos del estrés, unos efectos de los que mucha gente no es consciente.

Reclutar la ayuda de otros niños. También pueden ser valiosos los testimonios de otros niños más mayores. Los padres podrían reclutar a los hijos de amigos que practiquen *mindfulness*, especialmente aquellos que tengan éxito en el ámbito académico, en los deportes o en cualquier área creativa. En una escuela, conseguir alumnos que hayan practicado *mindfulness* y puedan explicarles a los demás como eso ha afectado a sus vidas puede ser mucho más inspirador que cualquier cosa que tú pudieras decir.

Enfatizar la libertad. Los adolescentes, de manera muy especial, aprecian la libertad procedente de la práctica de *mindfulness*. Valoran comprobar que realmente disponen de elecciones, que tienen poder sobre sus vidas y que pueden descubrir esto a través de *mindfulness*. El mensaje de que *mindfulness* no cambiará las circunstancias externas de su vida, pero puede cambiar sus reacciones internas a ellas, puede ser novedoso y atractivo. *Mindfulness* no libera de nada, pero pone las cosas en perspectiva y fortalece nuestra capacidad de manejar las dificultades sin que ellas te destrocen ni controlen. Hace poco oí a alguien que decía: «Para sentirnos mejor, necesitamos mejorar en el sentir», exactamente lo que *mindfulness* enseña. Cuando los niños pueden ver claramente sus propios pensamientos y sentimientos, las conductas negativas son menos probables.

Mi colega Sam Himelstein les pregunta a chavales que tienen problemas con la justicia: «¿Cuánto tiempo empleaste pensando lo que te llevaría a la cárcel o te ocasionaría dificultades? ¿Y cuánto tiempo has pasado pensando en eso desde entonces?». Este es un ejemplo especialmente duro de cómo el simple hecho de detenerse antes de actuar puede tener un impacto en nuestra libertad, pero vale para cualquiera que haya pasado un tiempo aislado, castigado o detenido.

Pedirles que te ayuden en tu práctica. Cuando les concedemos a los niños una especial responsabilidad, a menudo se ponen a la altura de las circunstancias y terminan sintiéndose reconocidos por ser más mayores y más maduros. Darles la tarea de ser tu cronómetro o de hacer sonar la campana cuando tú practiques puede animarlos a unirse a ti. Puedes pedirles que te guíen en alguna práctica de meditación guiada en cuanto aprendan a leer. Si tus hijos son ya mayores, podéis turnaros y leeros meditaciones guiadas los unos a los otros. Y pedirles que te recuerden respirar o realizar una sola tarea a la vez cuando *tú* pareces estresado, crea mucha más aceptación cuando llega el momento de recordarles a ellos lo mismo.

Realizar prácticas informales con ellos. Practicar *mindfulness* con tus hijos es ideal. Los niños quieren tiempo de calidad con nosotros, y viceversa, así pues, ¿por qué no hacerlo *mindful*? Y recuerda, la práctica de *mindfulness* no tiene por qué llevarse a cabo en un cojín de meditación. Dar un paseo sin el móvil, preparar y compartir una comida, escuchar música, jugar a cualquier juego y cualquier otra actividad que desarrolléis como familia puede efectuarse con atención plena, si te centras totalmente en ello.

Muchas familias pronuncian una oración o unas palabras de agradecimiento en torno a la mesa familiar a las horas de las comidas; vosotros podríais hacer un pequeño ritual realizando una práctica de meditación informal, breve, antes de comer. Podríais comenzar con «La respiración de la sopa» (capítulo 11), «Surfeando el paisaje del sonido» (capítulo 8) o tomando el primer bocado, o los dos primeros, de vuestro plato con atención plena (ver, capítulo 6, «Comer consciente»). Piensa en la posibilidad de añadir una práctica durante los tiempos de transición, como vuestro ritual para los momentos anteriores a irse a dormir, especialmente en el caso de los niños más pequeños o quienes tienen problemas para poder dormirse. Prácticas útiles para esos momentos son «La piedra en el lago» (capítulo 5), «Aclarando las nubes» (capítulo 9), «¿Qué fue bien?» (capítulo 3) y «La respiración *metta*» (capítulo 11). El capítulo 11 ofrece más ideas para incorporar prácticas informales y breves de *mindfulness* en tu vida diaria.

Ser sincero y realista. Cuando empiezas la charla, sé directo; no actúes como un evangelista. Los jóvenes aprecian que seamos sinceros. Más que prometer que *mindfulness* será una especie de curalotodo, podrías decir: «Esto quizás ayude» o «Muchos chicos como tú han encontrado esto útil y divertido». No prometas lo que la práctica de *mindfulness* no pueda ofrecer. Yo incluso suelo advertir: «Esto puede parecer una tontería, o un poco raro, pero probémoslo y si es demasiado extraño, luego podemos reírnos de ello».

TRABAJAR CON TUS INTENCIONES Y TUS EXPECTATIVAS

Uno de los aspectos más delicados de compartir prácticas de *mindfulness* con los niños es trabajar con nuestras propias expectativas. Las sabias palabras de un amigo me enseñaron una vez que «las expectativas son desilusiones esperando ocurrir». Esto es así porque el sufrimiento surge cuando estamos apegados a un resultado particular pero la realidad tiene una idea diferente, lo que puede llevar al agotamiento si las cosas no funcionan, o al orgullo si lo hacen.

Cuando se trata de compartir *mindfulness* con niños, tener unas expectativas demasiado altas es peligroso. Si estás leyendo este libro con la esperanza de que todos los niños que forman parte de tu vida estarán pronto felizmente meditando y gozando de los frutos de la práctica de *mindfulness*, eres un firme candidato a desilusionarte, y esperaré tus correos enfadados en mi bandeja de entrada. En lugar de tener grandes expectativas o propósitos estrechos, te invito a conectar con tu propia intención al compartir, independientemente de los resultados que puedan venir.

Si tu deseo es que los beneficios de *mindfulness* de algún modo lleguen a esos niños y aprender unas cuantas prácticas que podáis realizar juntos, o que ellos puedan llevarlas a cabo, a veces, independientemente, encontrarás lo que estás buscando.

Si estableces intenciones, más que metas o expectativas, te centras en un proceso que *puedes* influenciar, más que en el resultado, que no puedes controlar. Las intenciones nos dicen dónde estamos, manteniéndonos centrados en el viaje, más que en el destino final. Haz planes, e incluso planes alternativos, pero has de estar dispuesto a ir en una dirección inesperada si por allí te lleva el camino, y simplemente apreciar lo que encuentres en tu viaje y aprender de ello.

Cuando intentamos ofrecerles a los niños la experiencia de *mindfulness*, más que esperar que ellos se lancen a su propia práctica independiente, podemos relajarnos todos al mismo tiempo que abandonamos los apegos a los resultados y permanecer presentes a lo que es. Y cuando nuestra intención es sencillamente compartir una experiencia positiva de *mindfulness*, todos experimentamos paz, sea cual sea el resultado.

Quizás la mejor intención que podemos tener es crear una conexión con ellos, al mismo tiempo que les enseñamos a vivir más conscientemente. Cuanto más elevada sea nuestra intención, mejor para los niños, para la relación y para nuestra propia salud. Al final, una conexión auténticamente humana será más útil que cualquier práctica concreta de *mindfulness*.

CONECTAR CON TUS PROPIAS INTENCIONES

> La intención es como un rotulador fosforescente para tu mente. Contemplar nuestra intención mantiene nuestras prioridades a la vista mientras la vida pasa.
>
> Ethan Nichtern,
> escritor y maestro budista

Buena parte de nuestro trabajo con niños comienza con el cometido interno de conocernos a nosotros mismos y conocer nuestras propias intenciones. Piensa en lo que *mindfulness* significa para ti. ¿*Por qué* deseas compartirlo con tus hijos? ¿Qué quieres *tú*? ¿Cuál es tu intención? Y ¿esa intención está en sintonía con los elementos fundamentales de la práctica de *mindfulness*? Muchos padres vienen a mí, un terapeuta que enseña *mindfulness* a niños, porque quieren que su hijo obtenga alguna ventaja académicamente, en el campo de fútbol o como primer violín, pero esos padres también van despacio y con integridad, respetando las intenciones originales de la práctica de *mindfulness*.

Para ayudarte a ver y clarificar tus intenciones, tómate cinco o diez minutos ahora para esta reflexión práctica:

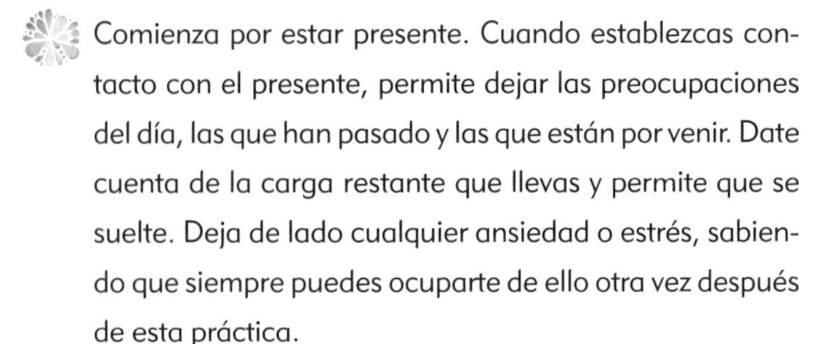

Comienza por estar presente. Cuando establezcas contacto con el presente, permite dejar las preocupaciones del día, las que han pasado y las que están por venir. Date cuenta de la carga restante que llevas y permite que se suelte. Deja de lado cualquier ansiedad o estrés, sabiendo que siempre puedes ocuparte de ello otra vez después de esta práctica.

Reflexiona durante un momento acerca de lo que esperas extraer de este libro. Luego, reflexiona sobre qué o quién te llevó a esta idea de compartir *mindfulness* de este modo.

Piensa en lo que te trajo personalmente a la meditación o a la práctica *mindfulness*. Para muchos, fue el sufrimiento. Quizás se trató de tu propio sufrimiento, quizás fue ver el sufrimiento en el mundo o quizás fue ver a alguien a quien amas sufrir profundamente. O tal vez fue una pérdida, una enfermedad, una muerte, la vejez, un trastorno mental o una adicción.

Ahora, recuerda el momento en que una práctica de *mindfulness* realmente supuso un punto de inflexión para ti.

Examina, también, tu motivación para compartir *mindfulness* con los jóvenes que forman parte de tu vida. Quizás sea tu propio sufrimiento de niño, o ver sufrir a otro niño. O algo relacionado con tu experiencia familiar o de tu infancia. O un impulso hacia la justicia, el valor personal o cultural de poder servir, un deseo de sanar el mundo o la voluntad de compartir tu alegría de algún modo. ¿Dónde y cuándo surgió esa llamada?

Ahora, reflexiona sobre lo que esperas aprender de este libro y sobre lo que esperas ofrecerles a otros después de leerlo.

CREAR LAS CONDICIONES PARA QUE *MINDFULNESS* CREZCA

Uno de mis mentores, el psicólogo Ed Yeats, dijo recientemente tanto de la terapia como de ser padre o madre: «Puede ser terrible, porque tienes mucho menos poder del que crees que deberías tener, y al mismo tiempo mucho más poder e influencia de lo que te das cuenta». A algunos niños les encantarán las prácticas de *mindfulness* que elijas compartir con ellos, y las semillas florecerán con rapidez. Otros puede que no aprecien las prácticas, ni tus esfuerzos, pero eso no significa que hayas fracasado al plantar las semillas.

Hace años trabajé con una persona que acababa de salir de la cárcel por un robo a mano armada que había cometido en los últimos estertores de su adicción. Estaba entusiasmado con el grupo de *mindfulness* que le ofrecí en la residencia de antiguos reclusos.

—¡He estado practicando yoga y meditación todos los días en la cárcel durante los últimos ocho años! –me dijo.

Quedé entusiasmado.

—¡Hala! No sabía que enseñaran yoga en la cárcel –dije.

—Ah, no –me corrigió rápidamente–. En una ocasión, vino un profesor de yoga, hace ocho años, y nos enseñó unas cuantas posturas y algunos ejercicios de respiración, y desde entonces he estado practicando por mi cuenta.

Sin guía, probablemente su yoga habría desembocado en algunas posturas poco convencionales en momentos puntuales, pero su dedicación a la práctica y lo que obtenía de ella nunca flaqueó. No sabemos qué semillas estamos plantando, aunque los niños protesten en voz alta o, en silencio, arqueen las cejas ante nuestros intentos de enseñarles *mindfulness*. Si, después de compartir las prácticas de *mindfulness* de este libro, no meditan por sí solos, eso no significa que hayas fracasado. Incluso si no hacen más que fastidiarte cuando estás intentando compartir prácticas con ellos, no necesariamente estás perdiendo el tiempo, ni ellos el suyo. Mira qué lecciones puedes extraer. Muchos niños que parecía que no prestaban atención cuando les enseñaba prácticas de *mindfulness* volvieron a mí meses, o incluso años, después para decirme lo útiles que fueron esas prácticas más tarde en sus vidas, cuando las necesitaron. También he tenido padres que me han dicho que su propia práctica fue mucho más importante para su familia que cualquier otra cosa que intentaron enseñarles a sus hijos.

Ser padres consiste en ver qué momentos pueden ser adecuados para enseñar –oportunidades para que los hijos crezcan y vayan comprendiendo–. Toda enseñanza trata de crear las condiciones para que se produzca el aprendizaje, y por tanto, nuestro trabajo consiste en crear y utilizar esos momentos.

LAS ACCIONES HABLAN EN VOZ MÁS ALTA QUE LAS PALABRAS

> Predica el Evangelio. Si hace falta, utiliza palabras.
>
> Atribuido a san Francisco de Asís

Siempre he entendido esta cita en el sentido de que sea cual sea tu fe, tienes que vivirla, y que nuestras acciones predican nuestra fe más poderosamente que nuestras palabras. Lo dije antes, pero permíteme que lo repita: la mejor manera de compartir *mindfulness* con nuestros hijos es practicar *mindfulness* nosotros mismos.

Para compartir algo hay que comenzar teniendo abundancia de lo que se quiere compartir, y la práctica de *mindfulness* no es diferente. Se comparte mejor, y de manera más auténtica, cuando surge de nuestra propia práctica. No muchos de nosotros confiaríamos nuestro hijo a un socorrista cuya única formación procediese de *Los vigilantes de la playa* ni a escalar una montaña con un guía que ha leído *Las nieves del Kilimanjaro* pero nunca ha dormido una noche bajo las estrellas. Cuando guiamos a otros en un viaje interior, necesitamos saber algo acerca de adónde vamos y qué podemos encontrar. Cuando tenemos una práctica de *mindfulness* propia, podemos compartir y enseñar a partir de nuestra propia experiencia. Nuestra práctica también mantiene fresca nuestra enseñanza y es un pozo al que siempre podemos volver en busca de inspiración.

Enseñamos y damos ejemplo, de manera explícita e implícita, afrontando retos y celebrando las recompensas de nuestra propia práctica de *mindfulness*. ¿Es más inspirador para nuestros hijos decirles que *mindfulness* nos ha hecho más creativos, calmados, concentrados y compasivos o mostrarles nuestras acciones sabias y nuestras interacciones compasivas? ¿Se comprometerán más con una práctica si ponemos en marcha una meditación grabada en un CD y rápidamente volvemos a nuestras actividades rutinarias y nuestros papeleos o si nos sentamos y realizamos juntos la práctica?

Al profundizar en tu propia práctica, descubrirás no solo que tu confianza aumenta, sino que surgen nuevas intuiciones y nuevas ideas creativas para compartir *mindfulness*, además de una nueva sabiduría para manejar situaciones difíciles, e incluso puede que se te ocurran nuevas prácticas y adaptaciones de prácticas ya existentes.

CAPÍTULO

5

Visualizar *mindfulness*

Emplear la imaginación

El hombre que no tiene imaginación
queda atado a la tierra.
No tiene alas,
no puede volar.

Victor Bockris,
Muhammad Ali in Fighter's Heaven

Hacemos la práctica de *mindfulness* divertida y atractiva para los niños integrándola en el juego, las historias, las artes, la visualización o el movimiento –todos los modos naturales en que los niños aprenden y exploran el mundo–. Cada vez se investiga más sobre la importancia del juego (de hecho, otra instructora de *mindfulness* para niños me dijo que hacía poco le habían preguntado: «*¿Mindfulness* es un juego?»). La visualización es jugar con la imaginación, un poderoso recurso tanto para los niños como para los adultos.

Las investigadoras en educación Elena Dobrova y Deborah Leong han trabajado sobre el fantástico programa de función ejecutiva «Herramientas para niños», inspirado en la obra del experto en desarrollo infantil y juego Lev Vygotsky.[1] Este, en una prueba sencilla, pidió a niños de cuatro años a permanecer quietos todo el tiempo que pudieran. Fue algo tan efectivo como podrás imaginar: en menos de un minuto, la mayoría de los niños habían abandonado ya su quietud. Pero cuando se les pidió que se imaginasen como guardianes de una fábrica, pudieron, por término medio, permanecer quietos alrededor de cuatro minutos. Vygotsky halló que los niños que están jugando o representando una escena pueden controlar sus impulsos, mantener su atención y realizar su tarea de manera mucho más efectiva que cuando simplemente se les decía que lo hicieran.

Todos conocemos el poder de la imaginación en abstracto, pero piensa en el hecho de que puede cuadruplicar el período de atención y suprimir la impulsividad. Sabiendo esto, ¿cómo podrías utilizar la imaginación con los niños que forman parte de tu vida? Quizás la idea de la era soviética de ser guardianes de una fábrica no parezca tan inspiradora, pero ¿qué tal la de caballeros en un castillo o una modelo posando con un nuevo diseño? En cuanto a la postura, podemos pedirles que se sienten erguidos y de manera solemne, como un rey o una reina, o que imaginen una cuerda invisible que tira de su coronilla hacia arriba.

La visualización y las prácticas de imaginación guiada basadas en la obra de Vygotsky ofrecen a la mente un lugar cómodo en el que descansar. También utilizan el poder de la metáfora.

EL PODER DE LA METÁFORA

El concepto de *mindfulness* es abstracto, razón por la cual durante siglos los maestros han utilizado explicaciones metafóricas. Jon Kabat-Zinn emplea las imágenes de sentarse sólidamente, como una montaña, o acostarse receptivo como un lago en las prácticas de *mindfulness*. Las posturas que se realizan en yoga están llenas de imaginación y metáforas: estiramos nuestros cuerpos adoptando formas de animales poderosos. La metáfora funciona como la poesía, lo que un amigo mío denomina «lenguaje límbico». La investigación en neurociencia muestra que la metáfora activa la zona sensorial del cerebro, no solo la zona del lenguaje; nos ofrece una sensación vívida de un concepto abstracto.[2]

Una de mis imágenes *mindfulness* favoritas, probablemente a causa de mis propias asociaciones positivas, es la de los pensamientos como hojas flotando en un río o un arroyo de montaña. La idea es observar los pensamientos, pero no quedar atrapado en la corriente. Si lo haces, simplemente sal de ella. Como no todos los niños han tenido vivencias con un arroyo de montaña, otra metáfora podría tener más sentido para él, según sus intereses, su formación y sus experiencias.

A continuación te ofrezco una breve lista de metáforas que he recopilado de otros terapeutas e instructores de *mindfulness*. Puedes tratar de visualizar los pensamientos como:

- Llevados suavemente corriente abajo sobre hojas, algunas moviéndose rápidamente, otras detenidas y girando en remolinos.
- Objetos que se deslizan en una cinta transportadora.
- Palabras o imágenes rotuladas en carrozas que desfilan o pancartas portadas por participantes en una manifestación.
- Hojas otoñales que caen de los árboles y aterrizan suavemente en un tapiz de conciencia vacío, receptivo.

- Resaltados, de uno en uno, como en un karaoke se resaltan las palabras.
- Burbujas que flotan en el aire.
- Nubes que se forman y desaparecen en el cielo azul.
- Escenas pasando por la ventana de un tren.
- Animales, como peces felices o tristes nadando en un acuario, o pájaros enfadados o contentos volando.
- Tráfico visto desde un lugar elevado; algunos pensamientos pueden ser grandes autobuses incapaces de detenerse; otros, motos corriendo de carril en carril, y otros, vehículos parados junto a la carretera.
- Escenas y personajes de una película.
- Hojas volando a lo largo de tu camino.
- Gotas de agua golpeando en un parabrisas antes de secarse.
- Motas de polvo flotando en un rayo de sol.

Entre las metáforas para permanecer presente y despierto ante los retos, podemos destacar las siguientes:

- Estás observando los coches de una montaña rusa, con sus altibajos, subidas y bajadas, pero tú no te subes a ellos.
- Arrojas una piedra a un estanque y observas las ondas que provoca.
- Eres una abeja revoloteando de flor en flor, y vuelves a la colmena con nuevas comprensiones del mundo.

¿Qué metáforas destacan y te hablan? ¿Cuáles podrían funcionar para tus hijos, alumnos o pacientes? ¿Hay otras que puedas usar o hayas usado? ¿Puedes pensar en la manera de explorar estas imágenes con niños y adolescentes, quizás en meditación, en el arte o en un proyecto de escritura?

CÓMO UTILIZAR PRÁCTICAS DE VISUALIZACIÓN

Todas las prácticas de este capítulo utilizan la imaginación como ancla para la atención. Los guiones pueden adaptarse para cada niño en particular, añadiendo algunos de los ejemplos anteriores (para más información sobre cómo adoptar las prácticas, consulta el capítulo 12). Puedes leerlas en voz alta, improvisar o incluso grabarlas para que tus hijos las escuchen en sus aparatos digitales. Te sugiero que las leas una o dos veces antes de compartirlas en voz alta.

He aquí algunos consejos para compartir visualizaciones con niños:

- Los niños ansiosos o perfeccionistas podrían abrumarse al intentar imaginar el lago de forma correcta –o el árbol o cualquier otra imagen que les pidas visualizar– o bien tener dificultades para fijar una imagen. Tal vez necesiten un apoyo, como un vídeo breve o una foto, o podrían tener la oportunidad de dibujar su imagen antes de hacer la visualización.
- Algunos niños puede que no tengan una asociación positiva con la imagen que les pidas que visualicen o que no sean capaces de imaginársela. Permitirles elegir su propia imagen puede ser útil.
- Algunos niños pueden tardar más en conseguir mantener la imagen. No les des prisas. Puedes pedir una

señal, como levantar un dedo, para hacerte saber que tienen su imagen.

- Recordarles, al comienzo y de vez en cuando, qué hacer si su mente vaga les permite saber que es normal que eso suceda.
- Deja caer la afirmación: «Si vuestra mente está errática, no tenéis más que volver a llevar la respiración a la imagen o al momento de calma entre las respiraciones», si ves que se mueven mucho o percibes que se distraen.
- Es útil tener algún tipo de recordatorio al final y decirles a los niños que pueden volver a conectar con la experiencia más tarde, en cualquier momento. Este recordatorio les ayudará a integrar la práctica en su vida.

LA PRÁCTICA DEL ÁRBOL

Un árbol antiguo, fuerte pero flexible, es para mí la metáfora perfecta para la confianza y la perseverancia frente a los cambios y los desafíos. Yo utilizo esta práctica con niños que tienen problemas de confianza en sí mismos o que no se atreven a mantenerse firmes ante bravucones de cualquier tamaño. Dura unos cinco minutos, que puedes ampliar o reducir para que se adecúe a las necesidades de cada uno y a su tiempo de atención. Está inspirada en la «Meditación del Lago», de Jon Kabat-Zinn.

Comienza de pie, con los pies separados al ancho de las caderas y los brazos descansando a los lados. Haz unas cuantas respiraciones profundas, quizás encogiendo los hombros, y permite que tus ojos se cierren suavemente.

Lleva la atención a tus pies. Imagina que las plantas tienen raíces que entran profundamente en la tierra. Desde los pies hacia arriba, percibe una sensación de crecer y elevarte, como un viejo árbol, bello y poderoso. En cada respiración, siéntete más estrechamente enraizado en la tierra y, al mismo tiempo, alto y fuerte.

Ahora piensa en un árbol. Puedes elegir cualquier tipo de árbol que te guste, a partir de tu experiencia o de tu imaginación, de un libro o una película. Uno que cambie con las estaciones funcionará mejor.

Como tú, este árbol permanece erguido y poderoso allí donde esté enraizado. Simplemente observa cómo pasa el día, por el día creciendo lentamente hacia el brillante sol en el cielo azul y por la noche bañándose en la luz de la luna. A través de todo ello, el árbol permanece sólido mientras el mundo alrededor se transforma.

El tiempo atmosférico puede cambiar. Lluvias torrenciales y espectaculares tormentas pueden empapar al árbol y alimentar sus raíces. Los vientos pueden silbar y las ramas inclinarse, pero nunca se rompen.

Otros días, el cálido sol da energía a las hojas y las ramas. A través de todo ello, el árbol sigue en pie, creciendo con confianza.

Con el transcurrir de los días y las noches, el verano da paso al otoño, y los días son más cortos. La temperatura desciende, pero el árbol permanece. Las hojas empiezan a secarse, cambiando el verde brillante en amarillo y en naranjas y rojos más profundos. Pero las raíces siguen profundizando y las ramas están cada vez más altas. Puede que lleguen vientos fríos e inclementes, puede que el árbol se balancee y que algunas hojas caigan y vuelen, pero el tronco se mantiene firme. En su interior profundo permanece en silencio y en calma.

Finalmente las hojas caen del árbol, y él las deja ir. Las hojas vuelan lejos, y el invierno hace su aparición. El paisaje se apaga y los cielos se tornan grises. Las tormentas invernales cubren el árbol de hielo y nieve y las ramas crujen con el viento, pero nunca se rompen.

Poco a poco, el invierno se desvanece. A medida que los días se alargan, vuelven los cielos azules, y los primeros capullos verdes retornan a las ramas. Estas oscilan suavemente ante el saludo de la brisa primaveral, pero las raíces se mantienen firmes. El árbol crece hacia el cielo, relajándose a la luz del sol mientras las hojas vuelven a nacer.

Como el árbol, tú puedes mantenerte erguido, enraizado frente a cualquier cosa que surja. Algunos días pueden ser grises y sombríos. Otros pueden amanecer tormentosos y agobiantes. Sin embargo, como el árbol, tú puedes permanecer en silencio en tu corazón, doblándote sin romperte, creciendo hacia las profundidades y hacia las alturas con cada día que transcurre.

Haz unas cuantas respiraciones profundas, que lleguen hasta tus raíces, mientras sientes cómo crece tu confianza, y lentamente abre los ojos y vuelve a ser consciente de la habitación en la que te encuentras.

NUBES EN EL CIELO

Esta práctica está inspirada en una práctica similar que Lizabeth Roemer y Susan M. Orsillo comparten en su libro

The Mindful Way Through Anxiety.[3] Puede hacerse más larga repitiendo y espaciando unas cuantas instrucciones.

Busca durante unos instantes una postura cómoda; puedes estar de pie, sentado o acostado. Cuando te sientas cómodo, permite que tus ojos se cierren.

Imagina que estás en un hermoso lugar –quizás la playa, un campo abierto o algún lugar de la montaña–. Puede ser un lugar que conoces, que has visto en una película o un libro, o que existe en tu imaginación.

Mirando hacia arriba, puedes ver un abierto cielo azul, con unas cuantas nubes blancas algodonosas que lo atraviesan.

Observa los pensamientos que pasan por tu mente. A medida que te percates de cada uno de ellos, intenta visualizar cómo se hace más pequeño, y luego colócalo en una de las nubes que pasan flotando.

Puedes percibir que unas nubes se detienen o se mueven lentamente, otras atraviesan el cielo más rápidamente por las corrientes de aire y algunas cambian su forma o su tamaño. Pero todas ellas, antes o después, pasan y se alejan. Si se detienen, puedes incluso intentar empujarlas suavemente, para que sigan hacia delante, cada vez que espiras.

Tómate tu tiempo simplemente para observar tus pensamientos y tus sentimientos, colocándolos en una nube y permitiendo que se alejen con tu respiración.

De vez en cuando puede que te encuentres apresado en las nubes, flotando con los pensamientos. Si esto sucede, limítate a darte cuenta de qué pensamiento te ha llevado a ello, vuelve a ese hermoso lugar que imaginaste, aleja las nubes al respirar y vuelve a observar otra vez.

Tómate el tiempo que necesites para observar tus pensamientos y tus sentimientos, grandes y pequeños, alegres y tristes, a medida que descansan en las nubes y finalmente se van flotando.

Al terminar, recuerda que todos tus pensamientos y tus sentimientos acabarán pasando. Permite que tus ojos se abran.

Puedes juguetear con las imágenes del texto anterior para cambiar la metáfora a la de un río con pensamientos que flotan, a la visión del tráfico desde un lugar elevado o un conjunto de animales que emigran atravesando el Serengeti. Con el tiempo, algunas metáforas comienzan a encajar con un tipo de niños y se convierten en parte de nuestro lenguaje común: «Mis pensamientos están estancados en un remolino depresivo en un margen del río» o «Pongo mis preocupaciones por las matemáticas en una nube y dejo que se vayan flotando».

LA PIEDRA EN EL LAGO

Mi paciente Julie, que había padecido una terrible enfermedad en su infancia, estaba ansiosa por establecer contacto con su cuerpo. Esta práctica le permitía fijar un ancla en la quietud de su cuerpo, sin pedirle que permaneciera allí durante una larga práctica corporal. Para los que se sienten descentrados o desequilibrados, esta puede ser una buena práctica de enraizamiento. En mi consulta, tengo una pequeña colección de piedras lisas procedentes de playas y montañas a las que he viajado. Julie tomó una para llevarla en su bolsillo, para poder tocarla y acordarse de «La piedra en el lago».

Esta práctica toma su inspiración de una visualización similar realizada por Jon Kabat-Zinn y Amy Saltzman.

Siéntate o túmbate y busca una postura que puedas mantener.

Lleva tu atención a la respiración. Conecta con el punto de quietud en el que la inspiración se detiene justo antes de que comience la espiración. Haz esto durante las tres respiraciones siguientes.

Si tu mente vaga durante las próximas instrucciones, sigue tu respiración hasta ese punto de quietud entre la inspiración y la espiración.

Ahora, imagina un hermoso lago, preferiblemente en un clima con las cuatro estaciones bien diferenciadas. Puede ser un lago que hayas visitado y te guste, que hayas visto en una foto, en una película o que hayas leído en un libro; también puedes simplemente imaginarlo. (Si lo deseas, pídele al participante que te dé una señal silenciosa –levantar una mano, inclinar la cabeza– para que sepas cuándo ha encontrado su imagen).

En la próxima inspiración, imagina que alguien ha lanzado una piedra al centro del lago. Sigue la piedra hacia abajo a medida que continúas respirando, más allá de la superficie. Síguela hasta allí donde ahora descansa sobre el suave fondo del lago. Allí puede permanecer tranquila y sin ser molestada por el agua o por el mundo circundante.

En la superficie, el lago refleja el mundo que lo rodea. En un día de verano, puede reflejar el cielo azul y los brillantes árboles verdes y hacerse eco de los sonidos de la vida. Con el paso de las horas, el mundo y su reflejo pueden parecer diferentes, a medida que las brillantes tonalidades de la puesta de sol colorean la superficie, dando paso al reflejo de las estrellas y la luna. Y durante todo el tiempo la piedra permanece en las profundidades –silenciosa, quieta y tranquila.

Los días pasan –unos trayendo cielos azules, otros nubes y tormentas–. La superficie del lago puede ondear cuando la lluvia la golpea y el viento puede provocar pequeñas olas en ella. No obstante, debajo de la superficie hay quietud.

Los días se hacen más cortos cuando el verano se desvanece y llega el otoño. El reflejo de los árboles verdes se torna dorado, anaranjado y escarlata mientras las hojas comienzan a cambiar de color y el aire se vuelve cada vez más frío. Y, a pesar de todo, la piedra permanece quieta. Incluso cuando alguna hoja otoñal cae hasta el fondo del lago, cerca de ella, permanece inmóvil, descansando.

Finalmente, los árboles quedan desnudos y el cielo se torna gris a medida que el invierno llega. El hielo forma finas láminas, la nieve cae. La superficie del lago se hiela, y el hielo es sepultado por la nieve. Los días de bruma o las tormentas de nieve hacen que el lago sea difícil de ver. Pero, pese a todo ello, la piedra, en el fondo arenoso, permanece en su lugar.

A medida que el invierno se retira, la nieve y el hielo se funden, pero esto no perturba el descanso de la piedra.

Los árboles comienzan a florecer y los pájaros regresan. Con la primavera, vuelven los signos de vida y color. A través de todo ello, la piedra permanece en quietud.

Nosotros somos como el lago. El mundo a nuestro alrededor cambia, nuestra propia superficie cambia e incluso cambia nuestra apariencia externa. Pero siempre tenemos la quietud, como la piedra, descansando en nuestro interior. El mundo puede tocarnos, igual que el agua fría o la hoja toca la piedra, pero no necesariamente nos mueve de nuestro lugar.

Siempre puedes conectar con esta quietud bajo la superficie, estableciendo contacto con el fondo de tu inspiración, sintiendo tus pies conectados con la tierra o incluso tocando una piedra que lleves en tu bolsillo.

Al volver a llevar tu atención al mundo circundante, mantén tu conexión con la quietud interior. Y has de saber que siempre puedes volver a ella.

La imagen del lago puede sustituirse por otras. En *Sentarse juntos, habilidades esenciales para una psicoterapia basada en el mindfulness*, Susan Pollak, Thomas Pedulla y Ronald Siegel sugieren la imagen de un ancla cayendo al mar para asegurar una barca que se mueve y se balancea sobre el agua.[4] Otra imagen que podrías probar es la de un globo de aire caliente que flota mientras permanece atado con una cuerda. Utiliza tanto tu imaginación y tu experiencia como las de los niños, y divertíos con ello.

EL FRASCO DE PURPURINA

Los niños, especialmente los que sostienen una dura lucha interna, tienden a *representar* sus dificultades a través de la acción, más que a compartirlas empleando las palabras. Los adultos a veces somos solo mejores de manera secundaria. Cuando no hay palabras disponibles, es útil encontrar otros modos de demostrar la conexión entre los pensamientos, los sentimientos y las conductas.

Un globo de nieve o un frasco de purpurina es una de las metáforas visuales más poderosas para esa conexión; ilustran cómo nos afecta *mindfulness* –el cultivo de la quietud frente al caótico torbellino de la vida–. En esta práctica, podemos incluso fabricarlo nosotros mismos. Al principio solía realizar esta práctica solo con los niños más pequeños, pero he descubierto que incluso los adolescentes disfrutan con ella.

Se puede utilizar un tarro de conserva, un bote de especias o incluso una botella de agua de plástico. Asegúrate de utilizar purpurina que se hunda, no que flote. Añadir un poco de glicerina al agua hace que la caída de la purpurina sea más lenta.

Llena el frasco hasta el borde con agua. Que los niños elijan tres colores de purpurina: uno para representar los pensamientos, otro para representar los sentimientos y otro para representar las conductas (o «la urgencia de hacer cosas»). Deja caer al agua un poco de purpurina de cada color, pues el agua representa su mente. Cierra el frasco con su tapón o su tapa.

Pregúntales que haría que la purpurina formase remolinos en el agua. Estimula respuestas que reflejen sucesos preocupantes (luchas entre hermanos, perder en los deportes) y otros positivos (obtener una buena calificación, hacer un amigo nuevo), sucesos en un primer plano (hermanos enfermos) y otros en un segundo plano (historias siniestras en las noticias). Con cada suceso al que le dan nombre, hacen girar el frasco y crean torbellinos, poniendo de manifiesto lo difícil que resulta hacer un seguimiento y ver claramente cuáles son nuestros pensamientos, nuestros sentimientos y nuestras acciones impulsivas.

Tu texto puede ser algo así:

El frasco es como nuestra mente, y cada color de la purpurina representa algo diferente alojado en ella.

Digamos, rojo para los pensamientos, dorado para los sentimientos y plateado para los impulsos (arroja un poco de purpurina con cada comentario).

Ahora cerramos el frasco (pon la tapa en el frasco y ciérralo). Luego, comenzamos nuestro día.

Nos levantamos, y las cosas están bastante tranquilas. Podemos ver eso con claridad (muestra cómo la purpurina se ha quedado quieta en el fondo del frasco).

Pero muy pronto todo comienza a girar. Quizás vayamos a llegar tarde (remueve el frasco). Nuestra hermana mayor se come el último trozo de bizcocho para desayunar, y eso provoca una lucha (agita el frasco). En el coche que nos lleva a la escuela oímos cosas terribles en las noticias (remolinos en el frasco). Llegamos a la clase y nos enteramos de que hemos sacado un sobresaliente en el examen (agita el frasco).

Ahora quedan solo unos minutos para terminar la escuela y no podemos ver claramente a causa de nuestros pensamientos, sentimientos e impulsos que salen a nuestro encuentro.

Así pues, ¿qué podemos hacer para que la purpurina se estabilice y veamos con claridad de nuevo?

Permanecer quietos. ¡Correcto!

¿Y qué sucede cuando estamos en quietud? Exacto –podemos ver con claridad otra vez.

No hay manera de acelerarse estando quieto. No podemos empujar toda la purpurina hasta el fondo. No tenemos que hacer más que observar y esperar. Ningún esfuerzo hará que se aquiete antes.

Cuando las cosas se aclaren, sabremos lo que conviene hacer a continuación. De hecho, esta es una definición de sabiduría: ver las cosas tal como son y elegir cómo actuar.

Mientras esperamos, ¿la purpurina se va? No, se queda en el fondo. Nuestros pensamientos, sentimientos e impulsos están todavía en nuestras mentes, pero ya no se interponen en nuestro camino, nublando nuestra visión.

Hay muchas variantes de esta práctica, dependiendo de lo que se quiera enfatizar. Mi colega Jan Mooney, que a menudo trabaja con grupos de niños, utiliza un frasco gigante al que todos los niños pueden añadir purpurina. Cada color representa un sentimiento diferente. Otras variaciones incluyen utilizar unos cuantos abalorios de plástico que floten para representar conductas y observar hasta que estas se separen de los pensamientos y los sentimientos. Los niños pueden también intentar centrarse en un solo color, en todos ellos o en un trocito de purpurina hasta que se asiente.

Un frasco de purpurina ya terminado puede servir como cronómetro visual para otras prácticas, como las prácticas respiratorias. Por ejemplo, se puede agitar el frasco y decir: «Hagamos varias respiraciones conscientes hasta que la purpurina se asiente». Algunas familias lo utilizan como un «frasco para calmarse», para indicar y medir el tiempo que uno tarda en calmarse. Idealmente, toda la familia junta puede emplearlo para tranquilizarse cuando hay un conflicto: «Todos estamos alterados, con multitud de pensamientos y sentimientos, justo ahora. De modo que hagamos un descanso hasta que la purpurina del frasco para calmarse se haya asentado y luego comenzar a hablar otra vez». Incluso existen unas cuantas aplicaciones para *smartphones* de frascos con purpurina y globos de nieve, que a uno de los niños con los que trabajo le encantan.

Uno de mis estudiantes, especialmente agudo, indicó que se podría tomar un filtro y aclarar el frasco. Era ingenioso, y hasta que estuve conduciendo hacia casa no di con la réplica adecuada: «En realidad, no queremos liberarnos de los pensamientos, los sentimientos y los impulsos. Lo único que queremos es que se aparten de nuestro camino, para que no nos impidan ver con claridad».

LA PRÁCTICA DE ASENTARSE

También nosotros necesitamos a veces asentarnos –en nuestras mentes y en nuestros cuerpos–. Posar la mente puede comenzar reposando nuestros cuerpos. Esta práctica fue inspirada por la práctica «Puntos de contacto», de la maestra de meditación Tara Brach.

Siéntate y busca una postura erguida, pero cómoda. Ten la sensación de elevarte a través del pecho y la cabeza, y

al mismo tiempo una sensación de gravedad, sintiendo la fuerza que desciende a través de las piernas y los pies. Permite que tus ojos se cierren, o si te sientes más cómodo, puedes dejar que la mirada descanse en el suelo, frente a ti.

Ahora hazte consciente de las sensaciones de asentarse. Primero sé consciente de cómo tu respiración se posa encontrando un ritmo natural.

Comenzando desde la parte superior de tu cuerpo, percibe las sensaciones del cabello posándose en la cabeza, y quizás también descansando sobre el cuello y los hombros.

Lleva tu atención a los párpados, dejando que los superiores descansen en los inferiores –relajados y tranquilos. Deja que una parte del labio superior, o todo él, descanse en el labio inferior y la lengua en el suelo de la boca. Permite que las fuerzas naturales de la gravedad hagan su trabajo mientras llevas la atención a estos puntos de contacto.

Percibe cómo la cabeza y el cráneo descansan en la columna vertebral.

Siente cómo los órganos internos se asientan y descansan, aunque todavía sostenidos por tu cuerpo.

Lleva la atención a los brazos y las manos, percibiendo la sensación en los puntos en los que se apoyan, por ejemplo en las piernas.

Toma conciencia y percibe la sensación de tus puntos de apoyo en la silla y reposa, con los muslos presionando suavemente la superficie que hay debajo de ti. Deja que la gravedad te estabilice y aquiete.

Percibe las sensaciones de los pies en los zapatos o sobre el suelo.
Ahora que todo tu cuerpo está tranquilo, permite que también tus pensamientos se serenen.
Si quieres, emplea un momento para escanearte y buscar el punto o la zona más perceptible de tu cuerpo relajado. Recuerda que siempre puedes volver a ese punto, en cualquier momento del día, cuando estés sentado en tu silla o en el suelo.
Todavía consciente de sentirte en reposo, abre los ojos y observa si ves el mundo con mayor claridad.

Hay muchas imágenes que pueden servir como ancla. Piensa en cuáles tienen más sentido teniendo en cuenta lo que tus hijos conocen, lo que les gusta y lo que resonará con ellos cuando los guíes a través de una práctica basada en la visualización.

CAPÍTULO

6

Atención al cuerpo

Prácticas de *mindfulness* centradas en el cuerpo

Hay más sagacidad en tu cuerpo
que en tu mejor sabiduría.

Friedrich Nietzsche,
Así habló Zaratustra,
traducido por Thomas Common

En los textos tradicionales se encuentran cuatro fundamentos de *mindfulness*. El primero es *mindfulness* del cuerpo. Hay muchas buenas razones para comenzar por él. Por una parte, es más fácil prestar atención al cuerpo que a los pensamientos, los sucesos mentales, las emociones o incluso la respiración. El cuerpo es el asiento de nuestros cinco sentidos, que nos anclan en el presente, y la fuente de nuestras emociones. La psicología oriental sugiere que las emociones surgen en él antes de llegar a la mente, la cual genera sufrimiento a partir del dolor y la incomodidad. (Resulta interesante que muchos idiomas asiáticos, incluso los de culturas budistas, como el tibetano, no tengan una palabra para «emoción». En lugar de ello hablan de «sensaciones mentales»). La ciencia occidental finalmente se está poniendo al día. Un estudio finlandés llevado a cabo con unas setecientas personas de todo el mundo, pidió a los participantes que identificaran en qué parte del cuerpo sentían las emociones.[1] Los investigadores hallaron que la experiencia física de las emociones es, en gran medida, la misma a través de las distintas culturas, con sensaciones similares que surgen en idénticas zonas corporales, fundamentalmente en el tronco, como respuesta a una emoción determinada. Cuando sintonizamos con el cuerpo, nos ofrece información sobre nuestro estado emocional.

El cuerpo puede ser un sistema de aviso del estrés, desde el comienzo de este, y llegando a conocer sus cuerpos atentamente, los niños aprenden a cuidar de sí mismos antes de llegar a agobiarse, lo que los salva potencialmente a ellos, y a los que los rodean, de un posterior sufrimiento. Identificar y describir la experiencia de su cuerpo generalmente es más fácil para los niños que describir el mundo emocional de su mente, para el que puede que todavía no tengan vocabulario. Los creadores de la terapia cognitiva basada en *mindfulness* (TCBM) señalan que solemos describir las emociones en el cuerpo de manera natural.[2] Pensemos en algunas expresiones como: «Me arde el pecho», «Tengo mariposas en el estómago», «El corazón se me salía del pecho cuando le vi cruzar la habitación». Todas describen las experiencias emocionales (rabia, ansiedad o amor) como sensaciones físicas. Parece razonable que prestar mayor atención al cuerpo aportará una comprensión más profunda y matizada de las experiencias emocionales y las respuestas que damos. Y si bien los pensamientos de nuestra mente pueden estar estancados en el pasado o corriendo hacia el futuro, nuestro cuerpo y nuestros cinco sentidos siempre permanecen anclados en el presente.

Ahora bien, vivimos en una cultura que estimula la desconexión del cuerpo, bloqueando esa saludable integración mente-cuerpo. Esta desconexión exacerba las dificultades en el aprendizaje, en la salud física y en la salud mental, entre los grupos de todas las edades. Muchos desórdenes físicos, mentales e incluso de aprendizaje pueden entenderse como una falta de integración entre la mente y el cuerpo. En Occidente, hemos funcionado presuponiendo una escisión entre la mente y el cuerpo desde el siglo XVII, cuando René Descartes estableció una dualidad mente-cuerpo que no refleja la realidad de que ambos son uno. Se nos educa con potentes mensajes culturales que reverencian el poder de la cognición: los políticos promueven la «década del cerebro» y los científicos sociales intentan explicar toda conducta como resultado de desequilibrios químicos en este órgano.

Muchos factores perturban la integración mente-cuerpo. La vergüenza de un trauma –reciente o distante, sea causado por enfermedad, accidente, abuso sexual o negligencia– lleva a que muchos niños desconecten de sus experiencias corporales. Establecer contacto con sus cuerpos, o con partes de sus cuerpos, les resulta terrible. Los mensajes de los medios de comunicación sobre la imagen corporal lo complica todavía más, especialmente para las chicas y las mujeres, pero cada vez más también para los chicos y los hombres. Las reacciones de ansiedad constituyen un trastorno de la respuesta de huida; los problemas de rabia, de la respuesta de lucha, y la depresión, de la respuesta de quedar paralizado, helado, tal como exploramos en el capítulo 1. Huir del cuerpo, evitarlo o ignorarlo es una defensa natural contra estos sentimientos. El consumo de drogas, aunque no llegue al nivel de adicción, corta la conexión mente-cuerpo y perjudica tanto a uno como a otro. Conductas autolesivas, como cortarse, hacen lo mismo. Incluso comer sin atención, como comer leyendo o viendo la televisión, más que siendo conscientes de lo que comemos, nos distrae y aparta de la escucha de los sabios mensajes de nuestro cuerpo respecto a lo que verdaderamente necesita.

Las consecuencias de esta desconexión mente-cuerpo son profundas. Cuando no estamos en contacto con nuestro cuerpo, no obtenemos la información que necesitamos para un funcionamiento emocional y cognitivo sano. Una falta de conciencia corporal conduce a dificultades en la identificación de los estados emocionales. Esto, a su vez, significa que muchos niños no saben qué hacer con las emociones intensas o los impulsos que surgen, antes que nada, en su cuerpo. Sin reconocerlos, luchan para expresar estos sentimientos verbalmente o de otros modos adecuados. Cuando no pueden, actúan de maneras que, con el tiempo, se convierten en hábitos programados. Una falta de capacidad para regular las respuestas a emociones fuertes conduce posteriormente a la evitación. Con el tiempo, cuando surgen emociones fuertes (ya sea en un contexto familiar, en la clase, la terapia o el mundo), el ancho de banda del niño para el procesamiento emocional se hace cada vez más pequeño, hasta que es incapaz de aprender en el aula o participar en una conversación productiva con otros. Y cuando ese niño no puede estar presente a sí mismo, no puede estar presente en la relación con los demás, incluyendo las relaciones de amistad, las de apego con sus cuidadores y las de trabajo con maestros, terapeutas u otros profesionales. Esta incapacidad de estar presente con otros conduce después al aislamiento.

Sharon Salzberg explica que no podemos lidiar con una emoción cuando estamos consumidos por ella o luchando contra ella; antes, tenemos que aprender a reconocerla, y el modo más fácil de hacerlo es reconocerla en el cuerpo. Podemos enseñar conciencia e inteligencia emocionales a través de la atención plena a las señales corporales. Cuando los niños reconocen pronto las emociones en el laboratorio de su propio cuerpo, esas emociones pierden el poder de secuestrar su cerebro.

Investigaciones llevadas a cabo por los psicoterapeutas Eugen Gendlin y Carl Rogers hallaron que las personas que más mejoran en terapia después de un año son las que identifican las emociones en sus cuerpos.[3] En la tradición zen y en el kung-fu, existe la idea de que todo el cuerpo está implicado en la búsqueda de respuestas y la dotación de sentido. Con el tiempo, esta experiencia de todo el cuerpo transforma nuestra relación con el mundo y con la gente que nos rodea, lo cual refuerza los cambios positivos. Al igual que con la mente, podemos hacer que el cuerpo se convierta en un aliado. Esto significa generar una mayor conciencia y en última instancia tolerancia hacia el contenido emocional de la vida, lo cual reconecta y reintegra la conexión mente-cuerpo que se ha perdido con el tiempo, de modo que cada componente aprende del otro y trabaja con él para regular y sanar todo nuestro sistema.

Las prácticas de *mindfulness* basadas en la atención plena al cuerpo reintegran y recalibran el sistema mente-cuerpo, restableciéndolo en su contexto óptimo. A través de estas prácticas, los niños aprenden que las sensaciones físicas, tanto las agradables como las desagradables, surgen y pasan, y que el contenido emocional también surgirá y pasará con el tiempo, sin que tengamos que reaccionar a él.

NOMBRARLO Y DOMESTICARLO

Hay un viejo refrán en psicoterapia: «Nómbralo y domestícalo». Quiere decir que cuando reconocemos las emociones, se vuelven menos poderosas. Cuando los participantes en un experimento fueron conectados a un aparato de imagen por resonancia magnética funcional y se les pidió que etiquetaran las emociones en los rostros que se les mostraba, su amígdala (el sistema de alarma del cerebro) se calmaba al ponerles nombre a las emociones y el córtex prefrontal (el pensamiento de orden superior) se activaba. El simple acto de nombrar la emoción, tal como a menudo hacemos en la práctica de *mindfulness*, les permitía hacer una pausa y responder de manera reflexiva más que reaccionar emotivamente. El contraste era incluso más evidente en los participantes que puntuaban alto en una escala de *mindfulness*.[4]

¡VAMOS, MENTE-CUERPO!

Para dedicar un momento a percibir las sensaciones del cuerpo asociadas a pensamientos, Susan Kaiser Greenland recomienda un juego que llama «¡Vamos, mente-cuerpo!». Es tan directo como suena. En el contexto de un grupo, cada uno participa una vez identificando una sensación en el cuerpo y una sensación en la mente, pero con rapidez y sin pensarlo antes. Por ejemplo: «Siento tensión en el cuerpo y estrés en la mente» o «Mi cuerpo está cansado y mi mente, triste». Los participantes pueden sentarse en círculo y cada persona ofrecer una respuesta, o pueden dar sus respuestas al azar a medida que vayan surgiendo, como si fuesen palomitas de maíz.

HIELO, HIELO, CHICA

Esta divertida actividad grupal utiliza cubitos de hielo para explorar la transitoriedad del malestar mental y físico y nuestras respuestas emocionales a él. Necesitaréis tazas, cubitos de hielo y servilletas o papel de cocina.

Cada participante ha de tener una servilleta o un trozo de papel de cocina y una taza que contenga un cubito de hielo. Mientras todavía estés pasando el hielo, invítales a percibir los aspectos físicos y emocionales tanto de la espera como de la curiosidad.

Cuando todos tengan ya preparado su cubito de hielo, explica que todos sostendrán el hielo en su mano durante un minuto. Luego, pregúntales cuál ha sido su primera reacción al escuchar lo que va a suceder. ¿Entusiasmo? ¿Miedo? ¿Risas?

Da instrucciones para que cada uno sostenga su cubito en una mano. Diles que simplemente perciban las sensaciones que produce sostener el hielo: «¿Qué percibes físicamente en la mano cuando te centras en la sensación?», «¿Adónde tiende a ir tu mente?», «¿Qué

emociones sientes?», «¿Qué impulsos percibes?», «¿Qué quieres hacer, y cómo gestionas ese impulso?».
Después de un minuto, o cuando el hielo se haya fundido, indica el final de la sesión y deja que los participantes se sequen. Luego pide respuestas a la actividad.

Al final del ejercicio se pueden utilizar preguntas para que se expresen distintas comprensiones, dependiendo del objetivo del ejercicio. Las siguientes preguntas exploran los distintos modos de responder a la incomodidad y el disgusto:

- ¿Cómo te has sentido? ¿Frustrado? ¿Asustado? ¿Alterado? ¿Molesto? ¿Algo más? ¿Qué sucedía si te centrabas en la sensación, o si te centrabas en algo diferente?
- ¿Qué impulsos surgieron? ¿Querías hacerte el gracioso, reír, dejar caer el hielo, desviar la atención?
- ¿Qué hiciste con ese malestar? ¿Lo ignoraste? ¿Te centraste en otra cosa?
- ¿Qué observaste respecto a cómo lidias con la incomodidad o el desagrado?
- ¿Te sentirías o actuarías de manera diferente si estuvieras solo, si estuvieras entre gente distinta o si la temperatura de la habitación fuera diferente?
- ¿Fue más difícil o más fácil sostener el hielo cuando supiste que lo harías solamente durante un minuto? ¿Cómo cambiaría tu sensación si te dijera que lo sostuvieras todo el tiempo posible?

Las lecciones principales que generalmente surgen incluyen el reconocimiento y la tolerancia de los sentimientos y los impulsos y verlos como transitorios, así como reconocer las reacciones a la incomodidad. Este ejercicio ofrece también lecciones sobre la transitoriedad, ya que, como en todo lo que hacemos, el cubito de hielo finalmente se fundirá.

INTEROCEPCIÓN: ¿VIVE REALMENTE LA MENTE SABIA EN EL CUERPO?

Al enseñarles a los jóvenes la atención plena al cuerpo, los iniciamos en la conciencia emocional intuitiva que les será de gran ayuda a largo plazo. *Interocepción* significa sentir desde dentro –básicamente, utilizar el cuerpo como fuente de información–. Podemos utilizar la información que sentimos internamente además de la información externa que recibimos a través de nuestros órganos de percepción (exterocepción) para tomar decisiones, más que simplemente confiar en las señales emocionales altamente cargadas procedentes del cerebro.

Sabemos que el sistema nervioso está distribuido por todo el cuerpo. De hecho, algunas de nuestras redes neuronales más importantes, que al parecer están vinculadas con el almacén de nuestros valores centrales, se sitúan cerca del corazón y de los intestinos. La investigación científica respalda la idea de que cuando decimos «escucha a tu corazón» o «siente las mariposas en tu estómago», estamos siendo más que simplemente metafóricos. Obtenemos señales que merece la pena escuchar de estas partes de nuestro organismo: el corazón y el aparato digestivo. Para comprender mejor cómo funcionan estos sistemas mente-cuerpo, échale un vistazo a *La teoría polivagal*, de Stephen W. Porges.[5]

La terapia dialéctica conductual, una modalidad desarrollada recientemente por la psicóloga Marsha Linehan, anima a los participantes a descubrir su «mente sabia» –el equilibrio entre una «mente-razón» a menudo excesivamente lógica, y una «mente-emoción» potencialmente impulsiva–. La mente-emoción representa el sistema límbico primitivo, y la mente-razón, los refinados lóbulos prefrontales. Pero nuevas investigaciones sugieren que la mente sabia, nuestra brújula interna, podría localizarse en nuestro corazón y nuestros intestinos. Sintonizar con nuestra conciencia corporal nos ayuda a tener acceso a la sabiduría que está más allá de lo que nuestros cerebros y nuestras emociones nos pueden ofrecer. El cuerpo tiene sus propias repuestas, especialmente a los problemas complicados. Una célebre cita, a menudo atribuida a Albert Einstein, dice que no podemos resolver problemas utilizando el mismo tipo de pensamiento que hemos utilizado al crearlos. A mi entender, eso significa hacer uso del cuerpo, no solo del cerebro.

PRÁCTICA DEL ESPACIO PERSONAL

Mi amiga y colega Joan Klagsbrun, psicóloga clínica, sugiere la siguiente práctica para ayudar a que los niños reconozcan la sabiduría innata del cuerpo en lo que se refiere a la comodidad y la incomodidad, las fronteras y el espacio personal. Esta práctica pone de manifiesto la sabiduría intuitiva del cuerpo y la habilidad para detectar la incomodidad, que no siempre percibimos, especialmente cuando estamos distraídos.

Sitúa a dos niños, de pie, a unos cuatro metros de distancia uno del otro. Dales instrucciones a ambos de que se centren en sus cuerpos.

Ahora pídele a uno de ellos que camine lentamente hacia el otro. El que está quieto debe centrarse en las sensaciones de su vientre y estar atento a cuándo el otro se acerca demasiado. Si prestan atención, probablemente obtendrán una señal de su cuerpo, generalmente una tensión en el vientre. En ese momento, pueden levantar la mano para hacer la señal de *stop*.

Esta práctica puede integrarse en las meditaciones caminando, analizadas en el capítulo siguiente, y puede llevar a debates sobre las fronteras, el espacio personal y la escucha a nuestros cuerpos. La idea de distancia cómoda variará dependiendo del individuo y de la cultura (nosotros, los occidentales, a menudo deseamos más espacio personal que la gente de otros países).

LA IMPORTANCIA DEL LENGUAJE CORPORAL

La conciencia corporal es importante no solo para los niños, sino también en nuestro propio trabajo con ellos. Cuanto más desconectados estemos de nuestro cuerpo y de nuestra experiencia emocional los adultos, más difícil será crear vínculos como padres o cuidadores, más sembraremos sentimientos de desconfianza y más generaremos un entorno poco amistoso para crecer y aprender. Lo conscientes que seamos de nuestro lenguaje corporal también puede marcar una diferencia significativa en lo que comunicamos, a nosotros mismos y al mundo. La investigación muestra que la lectura del lenguaje corporal puede incluso predecir si un médico es demandado a menudo o qué probabilidad hay de que una pareja se separe.[6]

UNA ADAPTACIÓN DEL ESCANEADO DEL CUERPO

El escaneado del cuerpo, una actividad desarrollada por Jon Kabat-Zinn para su programa de reducción del estrés basado en *mindfulness* (MBSR, por sus siglas en inglés), es una buena práctica para enseñar conciencia corporal. Muchos padres han descubierto que a sus hijos les encanta los escáneres del cuerpo, especialmente cuando se combinan con alguna relajación muscular progresiva. La estructura básica consiste en hacer un barrido con la atención, desde abajo hacia arriba, de todo el cuerpo, percibiendo las sensaciones y las emociones asociadas en las distintas partes. También se puede empezar con sensaciones en la superficie corporal e ir hacia dentro. Puedes encontrar algunos guiones en mi anterior libro *Child's Mind,* o en *Vivir con plenitud las crisis* de Kabat-Zinn.[7]

El escaneado del cuerpo incluido en el programa MBSR es una práctica larga, y puede no ser adecuada en algunos contextos o para determinados jóvenes. Generalmente yo trabajo con niños de uno en uno, y he hallado que algunos de ellos no se sienten cómodos acostados en mi diván y cerrando los ojos mientras los guío a través de tal práctica. En su lugar, hago una variación con ellos, en la que les ponemos nombre a nuestras experiencias y las compartimos caminando de un lado para otro. También se puede realizar esta práctica con un grupo mayor, en cuyo caso los participantes se turnan para compartir sus sensaciones en voz alta. O también se puede hacer que escriban o dibujen lo que experimentan.

Comienza el escáner desde la parte inferior del cuerpo y ve subiendo. Primero escanea las extremidades inferiores, luego el tronco y después las extremidades superiores y la cabeza. Los participantes pueden turnarse preguntando cómo sienten cada parte del cuerpo, qué podría estar diciéndoles y qué pueden hacer. Por ejemplo: «Tengo las piernas inquietas, como cuando estoy nervioso o excitado. Creo que debo de estar nervioso, así que me centraré en la respiración en la planta de mis pies, para ver si eso me calma». Esto puede dar lugar a un diálogo acerca de cómo nos manejamos con los sentimientos, con lo que nos gusta y lo que nos disgusta, y de qué maneras podemos responder a ellos. Analizar cómo decidimos responder es trabajar con el «momento inmediatamente anterior» del que habla el maestro de meditación Joseph Goldstein –el momento antes de reaccionar de forma impulsiva–. Identificar este momento inmediatamente anterior es el comienzo de la conciencia emocional, especialmente en los niños más pequeños.

Si los niños no sienten nada durante esta práctica, lo cual ciertamente es posible, identificar contrastes como calor o frío, humedad o sequedad, tensión o relajación y sensaciones internas o superficiales puede estimular un poco más la conciencia sin guiarlos demasiado.

EL COMER CONSCIENTE

No se puede pensar bien, amar bien, dormir bien, si uno no ha cenado bien.

Virginia Woolf,
Una habitación propia

Como seres vivientes, tenemos que alimentarnos. En nuestra cultura, comer se ha convertido en algo que la mayoría de nosotros hacemos de manera distraída, con muy poca atención, una actividad sobrecargada de pensamientos y complicadas ideas acerca de la comida y los cuerpos, la mayoría de los cuales son perpetuados por los medios de comunicación. Pero el hecho de comer puede ofrecer una oportunidad para conectar con el momento, con nuestra experiencia, con aquellos que nos rodean y con el planeta. Al prestarle plena atención a nuestro cuerpo a través del comer, podemos aplicar el hecho de velar por nosotros mismos a algo que de otro modo podría parecer autoindulgencia.

En nuestra cultura, a menudo confundimos cuidarse y autoindulgencia, y les pasamos esta confusión a nuestros hijos. No nos cuidamos, quejándonos de que no disponemos de tiempo para disfrutar de una comida, meditar o tener tiempo de calidad con las personas que amamos, y a veces etiquetando estas actividades de autoindulgencia frívola. Al mismo tiempo, recibimos mensajes de los medios de comunicación e n los que se nos insinúa que ser hiperindulgentes a la hora de comprar, comer, beber, estar ante pantallas y en otras distracciones forma parte de cuidar de nosotros mismos.

Recién salido de la universidad, estuve trabajando en un grupo. Se hablaba mucho, entre los cargos superiores, de la necesidad de cuidarse uno a sí mismo en un trabajo tan estresante. Mientras tanto, los empleados bromeaban sobre las jarras de cerveza de «autocuidado» que los esperaban en el bar a la salida de su turno –una clara confusión entre autoindulgencia y autocuidado–. Muchos de nosotros, sometidos a un duro esfuerzo mental, emocional y físicamente luchamos para mantener buenos hábitos al final del día y terminamos cayendo en el lado de la autoindulgencia, incluso cuando sabemos que no es una solución saludable a largo plazo.

Trabajando en un campus universitario e incluso con niños más pequeños, veo claramente la confusión y la identificación de autocuidado con autoindulgencia. Autocuidado no es utilizar sustancias perjudiciales descuidadamente, ni jugar durante horas a videojuegos, dependiendo de nuestra edad. Cuando se estresan, el desahogo de muchas personas que tienen buenos hábitos diarios puede consistir en tomar un poco de helado, quedarse más tiempo en la cama o ver un buen número de horas de televisión ininterrumpidamente, más que comprometerse con conductas más saludables. No es que la autoindulgencia sea siempre negativa; ser indulgente conscientemente con algunos placeres sensoriales, de vez en cuando, puede ser una excelente forma de cuidarse. La dificultad está en hallar un equilibrio entre autocuidado y autoindulgencia y no confundir los dos, ni para nosotros ni para los niños.

Hay modos saludables de combinar autocuidado y autoindulgencia. Me gusta hacer esto con la comida: comer conscientemente fruta fresca, chocolate, helados u otros premios puede ser un modo fantástico de tener acceso al momento presente y ofrecer valiosas lecciones sobre la transitoriedad, el deseo, los impulsos y la conciencia corporal, así como sobre las complejidades y los matices de la vida.

Uno de los objetivos del vivir consciente es llevar conciencia a todos los aspectos de la vida diaria –respirar, moverse, jugar e incluso comer–. Igual que respirar o moverse, comer es una actividad diaria que a menudo realizamos automáticamente, pensando muy poco en ello. Preparar las comidas y comer puede hacerse con atención deliberada, conscientemente, con todos los sentidos. Llevar a cabo cada uno de los pasos necesarios para ello más lentamente y llevar conciencia a nuestros cuerpos y a los alimentos que consumimos puede despertarnos y hacernos conscientes de lo saludables que son esos alimentos y hasta qué punto nos resultan imprescindibles. Comer conscientemente puede ser también un modo de recordarnos cómo la comida nos conecta a los demás, a la cultura y a la historia de nuestros antepasados, a las estaciones y al cuidado de la Tierra, y en última instancia a todo el universo. Cuando vemos profundamente lo interconectados que estamos con todo lo que existe, tanto nuestra sabiduría como nuestra compasión crecen más fuertes.

Thich Nhat Hanh denomina a nuestra interconexión con todo lo que existe *interser*. Aunque él utiliza el ejemplo del papel en lugar del alimento, su descripción de interser nos muestra lo vasta e intrincada que es nuestra interconexión:

> Si eres poeta, verás claramente que hay una nube flotando en esta hoja de papel. Sin nube, no habría lluvia; sin lluvia, los árboles no pueden crecer, y sin árboles, no podemos hacer

papel. La nube es esencial para que el papel exista. Si la nube no está ahí, tampoco puede estar la hoja de papel. Así que podemos decir que la nube y el papel *interson*. *Interser* es una palabra que todavía no está en el diccionario, pero si combinamos el prefijo *inter* con el verbo *ser*, tenemos un nuevo verbo, interser. De modo que podemos decir que la nube y la hoja de papel *interson*.

Si miramos esta hoja de papel más profundamente todavía, podemos ver en ella la luz del sol. Si la luz solar no está ahí, el bosque no puede crecer. De hecho, nada puede crecer. Ni siquiera nosotros podemos crecer sin la luz solar. Y así, sabemos que la luz solar está también en esta hoja de papel. El papel y la luz solar interson. Y si seguimos mirando, podemos ver al leñador que cortó el árbol y lo llevó a la trituradora para ser transformado en papel. Y vemos el trigo. Sabemos que el leñador no puede existir sin su pan diario, y por tanto, el trigo que se convirtió en su pan está también en esta hoja de papel. Y el padre y la madre del leñador también están allí. Cuando miramos así, vemos que sin todas esas cosas, esta hoja de papel no puede existir.

Mirando todavía más profundamente, podemos ver que también nosotros estamos en ella. Esto no es difícil de ver, porque cuando miramos una hoja de papel, la hoja de papel es parte de nuestra percepción. Tu mente está ahí y también mi mente. Así que podemos decir que todas las cosas están aquí en esta hoja de papel. No puedes indicar algo que no esté aquí –el tiempo, el espacio, la Tierra, la lluvia, los minerales del campo, la luz del sol, la nube, el río, el calor–. Todas las cosas coexisten en esta hoja de papel. Por eso creo que la palabra *interser* tendría que estar en el diccionario. «Ser» es «inter-ser». Tú no puedes ser solo por ti mismo. Tienes que interser con todas las demás cosas. Esta hoja de papel es porque todo lo demás es.[8]

INTRODUCIR A LOS NIÑOS AL COMER CONSCIENTE

Cuando introducimos a los niños a la práctica del comer consciente, puede ser útil empezar con un alimento divertido. El chocolate, negro o con leche, puede ser tanto amargo como dulce y tiene muchos más sabores de los que la mayoría de nosotros nos percatamos. Caramelos de sabor intenso, por ejemplo de menta (fuertes), de limón (ácidos) o picantes, pueden provocar emociones intensas, que pueden constituir oportunidades para conversaciones y lecciones respecto a la tolerancia de lo desagradable, mientras lo observamos surgir y pasar. También se puede intentar enseñar la paciencia y observar los impulsos comiendo caramelos o piruletas picantes e intentar no morderlos. Otros instructores utilizan frutas del bosque, con carne dulce y semillas amargas. O se les puede pedir a los niños que observen sus reacciones al comer alimentos desagradables para explorar los conceptos de aversión y disgusto. Mi amiga, la instructora Susan Mordecai, utilizaba una semana pasas (de uva) y la semana siguiente semillas de uva en una práctica de comer consciente con niños. Se percató de que muchos niños ni siquiera sabían que son la misma fruta, hasta que realmente prestaron atención al probarlas. Otros frutos secos, o una selección de frutos secos variados, pueden resultar más interesantes que una pasa. Otra opción es un fruto que cueste pelar y tenga varios componentes que percibir, como una clementina.

El guion de la práctica siguiente fue inspirado por textos semejantes del programa MBSR, MBCT y el Proyecto Mindfulness en las Escuelas. Incluye mis propios añadidos. Probablemente necesitarás adaptarlo, dependiendo de la edad de tu hijo, el tiempo que sea capaz de mantener su atención y su experiencia, así como teniendo en cuenta lo que come.

Si te digo que te he traído algo, ¿qué sucede? ¿Qué percibes en tu mente y en tu cuerpo?
Y si digo que te he traído algo para comer, ¿qué sucede? ¿Qué notas en tu mente y en tu cuerpo?
¿Y qué ocurre si te digo que te he traído chocolate? (sustituye el nombre por el del alimento que estés utilizando).
Simplemente observa cómo han comenzado a responder tu mente y tu cuerpo a esas palabras mientras comparto este alimento contigo. Por favor, no comas todavía. Solo mantenlo en tus manos.
¿Qué notas en tu mente y en tu cuerpo mientras esperas?
Ahora, me gustaría que mirases el alimento con ojos nuevos, ojos atentos, como si jamás hubieras visto algo así antes, aunque lo hayas visto.
Y si hacer esto te parece extraño o tonto, simplemente obsérvalo y deja de lado esos pensamientos durante los dos minutos siguientes.
Ahora emplea un momento para considerar el viaje que este alimento tuvo que hacer para llegar a tus manos. Piensa en cómo vino de mis manos, mi coche, la tienda, la gente que lo llevó allí desde la fábrica, hasta llegar a tus manos, y luego a tu boca. Y piensa en todo lo que costó hacer esto: la luz del sol para que los ingredientes

crecieran, el agua de la lluvia, los materiales que componen el embalaje... Todo ello también forma parte de esto –todas las personas, los lugares y los elementos son parte de esto que está aquí y ahora en tus manos.

Quizás puedas imaginar a esas personas y esos lugares en este alimento.

Comienza a explorar esto con tus sentidos.

Primero, explora la sensación visual, examinando con cuidado este alimento a la luz.

Cierra los ojos y siéntelo, notando su textura y su temperatura en la piel de tu mano y tus dedos, sintiendo su peso mientras descansa en la palma de tu mano.

Manteniendo los ojos cerrados, levántalo hasta uno de tus oídos y luego hasta el otro. Sí, escúchalo, especialmente mientras lo mueves entre los dedos.

Ahora llévalo bajo tu nariz. Primero inspira por la nariz. Percibe todo lo que sucede mientras lo haces –cómo responde tu cuerpo, tu boca, tu estómago, y también cómo responde tu mente con pensamientos, sentimientos y recuerdos.

Ahora aleja el alimento de tu nariz.

Si está envuelto o tiene piel, desenvuélvelo o pélalo. Al hacerlo, escucha todos los sonidos que se producen y observa qué sucede con tus otros sentidos también. Nota de nuevo los olores, así como las emociones que surgen en ti.

Lleva el alimento a tus labios y mantenlo allí, pero no lo muerdas todavía. Percibe las sensaciones en tu boca y en todo tu cuerpo. Observa también tus pensamientos, sentimientos e impulsos en tu mente. ¿Qué te dice tu estómago, o qué te pide tu boca?

Ahora, da el bocadito más pequeño que puedas. Observa qué hace tu mente y qué hace tu cuerpo –tu estómago, tu saliva, tus pensamientos y tus sentimientos, tus recuerdos y asociaciones.

Espera un momento mientras estas sensaciones van desapareciendo. Luego cierra los ojos y coloca el alimento en tu lengua, sin moverla. Por ahora, tan solo déjalo ahí, descansando, sintiendo su peso, su temperatura y su forma, en tu lengua. Luego percibe también su sabor.

Cuando hayas observado las sensaciones físicas, date cuenta también de tus pensamientos, sentimientos e impulsos.

Lentamente, deja que tu lengua se mueva. Explora las texturas cambiantes y todos los sabores, desde el amargo hasta el dulce.

Escucha los sonidos. Percibe los olores y las sensaciones. Sé consciente de todas las imágenes que flotan en tu cabeza –quizás sobre el viaje que realizó el alimento, quizás sobre otras ocasiones en las que has comido algo parecido.

Hazte consciente de las respuestas automáticas de tu cuerpo, de tu estómago que se prepara. Observa de nuevo los pensamientos, los recuerdos y los sentimientos que puedan surgir al mismo tiempo.

Ahora muerde o mastica el alimento y observa cómo cambia nuevamente.

Puedes seguir explorando, incluso sintonizando cada vez con un sentido, sintiendo la textura sin el sabor, o tan solo percibiendo el sonido.

Y luego, cuando sientas que estás preparado, traga lo que quede de la comida en tu boca.

Manteniendo los ojos cerrados, escanea todo tu cuerpo, percibiendo qué se siente al ser un trozo de comida en tu cuerpo y en tu mente.

Cuando le dices a un niño que espere hasta que todos tengan un trozo, antes de empezar, puedes pedirle que se dé cuenta de cómo es la experiencia de esperar. Puedes explorar también la experiencia de la sorpresa y la curiosidad pidiéndoles a los niños que cierren los ojos mientras pones el trozo de comida en sus manos.

Las preguntas que vienen a continuación pueden cubrir todos los aspectos de la experiencia, desde lo sensorial hasta lo emocional. Dependiendo de los niños, puedes llevar la conversación hacia la gestión de los impulsos, observando los pensamientos y los recuerdos, o lo que sientas que es relevante, mientras permites que el debate se desarrolle orgánicamente. Por regla general, yo empiezo con una broma, como: «No sé tú, pero esa no es la manera en que yo como chocolate». Sin embargo, también podemos simplemente preguntar: «¿Qué has notado?», «¿Qué te ha sorprendido?», «¿Cómo *ha sido* la experiencia? (no *qué has pensado de la experiencia*, sino cómo *ha sido*, con tus sentidos y tus emociones)», «¿Cómo has sabido si te gustaba o te disgustaba?», «¿Cómo has sabido qué estabas comiendo, qué te decían tus sentidos?», o «¿Qué ha sucedido antes, durante y después de comer?».

¡Hay tanto que descubrir en el simple acto de comer cuando prestamos atención a nuestros sentidos! Los niños se dan cuenta del impulso de acelerarse o desacelerarse mientras lo están haciendo; perciben el color, la textura, el sabor y los sonidos, y se percatan de todos los sentidos mientras comen. Y se hacen conscientes de sus cuerpos preparándose para comer y digerir, lo cual podría llevar a una lección de biología. Todavía más, pueden incluso percibir cómo la mente genera emociones, recuerdos, asociaciones y pensamientos estimulados por la comida. Pueden hacer conexiones con otras personas e incluso con la ecología. Thich Nhat Hanh nos pide que comprobemos si podemos «saborear la nube» que hay en nuestra comida y nuestra bebida.

Generalmente pensamos que comer algo como un trozo de chocolate es maravilloso, pero tengamos en cuenta que muchas personas tienen sentimientos y asociaciones más ambivalentes acerca de los alimentos. Una niña con la que trabajé comenzó a gritar al sentirse mal cuando recordó que le había robado los caramelos de Halloween a su hermana el año anterior. Muchas personas experimentan cierta culpabilidad relacionada con el comer a causa de voces interiorizadas de otros que las avergüenzan por lo que ingieren o por su imagen corporal. Nosotros estamos ahí para ayudar a que los niños procesen la experiencia. Ahora bien, no recomendaría esta práctica en niños con problemas alimentarios como la anorexia.

Siempre hay que tener en cuenta condicionamientos como las alergias, las culturas o las religiones. Si trabajas con niños que no sean tus hijos, es sensato preguntarles a sus padres o cuidadores qué prefieren que coman o no coman. Algunos alimentos pueden no gustarles a los niños, pero podemos invitarlos a explorar la experiencia con los sentidos con los que se sientan cómodos y luego decidir si prueban ese alimento o no. Esto puede incluso despertar su curiosidad y llevarlos a dar un pequeño bocado, y ya sea que termine gustándoles o no, pueden explorar más profundamente la experiencia del desagrado. No olvides ofrecer servilletas y también agua después de pedirles a los niños que coman algo dulce.

LOS BENEFICIOS DEL COMER CONSCIENTE

El comer consciente reporta muchos beneficios. Establecemos contacto con el instante presente y generamos gratitud hacia los alimentos. A menudo, cuando vamos despacio, disfrutamos más la experiencia, comemos menos y elegimos comidas más sanas. La investigación muestra que recibimos señales de nuestro cuerpo para dejar de comer unos diez o veinte minutos antes de que lleguen al cerebro.[9] Además, cuando podemos desacelerar, digerimos los alimentos y los nutrientes mejor que cuando vamos con prisas o comemos mientras hacemos otra cosa (piensa en si comes más mientras estás frente al televisor o en cómo desaparece esa inmensa bolsa de palomitas a mitad de la película). El tiempo para comer, en la escuela, cada vez es más corto, y las distracciones abundan, así que comemos cada vez más rápidamente. ¡Hace poco me enteré de que los estudiantes universitarios de Nueva York tardan una media de siete minutos en comer! Comer más lentamente y saborear los alimentos, especialmente los que nos gustan y apreciamos, aporta más alegría a este acto tan importante para nuestras vidas.

Si bien tomar toda una comida conscientemente, como norma, puede resultar difícil en el ajetreado mundo moderno en el que habitamos, muchos de nosotros sí tenemos tiempo para hacer una «comida consciente los lunes» o proponernos tomar los primeros bocados o el postre un poco más lenta y conscientemente, algunas noches o quizás los días festivos. Podemos incluso dejar los cubiertos en la mesa entre los distintos bocados o masticar cada bocado cierto número de veces antes de tragárnoslo. Una terapeuta de una escuela en la que paso consulta organiza una comida de grupo con niños y encuentra que es imposible que no engullan la mayor parte de lo que hay en el plato, de tan hambrientos que están. Su solución es pedirles que pongan a un lado tres bocados de su comida; al final, comen conscientemente esos tres últimos bocados.

Cuando comamos, simplemente comamos –sin televisión, sin radio, sin móviles, sin *tablets*, ni libros ni otras distracciones–. Podemos apreciar deliberadamente de dónde vienen los alimentos que ingerimos, quizás incluso implicarnos en el cultivo de algunos de ellos y en preparar nuestra propia comida. La horticultura, el cocinar y la preparación consciente de los alimentos, complementan perfectamente al comer consciente.

****

Todos los días de nuestra vida vivimos en nuestros cuerpos, pero a menudo parece que habitemos solo nuestras cabezas. Con la excepción de los actores profesionales y los atletas, la mayoría de los trabajos que nuestra cultura valora están enraizados en la mente, no en el cuerpo, lo cual no hace sino reforzar la división entre cuerpo y mente. Pero introducir prácticas de atención plena al cuerpo para los niños en edades tempranas crea un fundamento más sólido para la salud, la felicidad, el aprendizaje y la compasión a lo largo de toda nuestra vida. Nuestros cuerpos pueden convertirse en nuestros aliados, sosteniéndonos durante toda nuestra vida, si aprendemos a atenderlos y ser sus amigos, para llegar a mantener el alineamiento y la alianza con ellos.

CAPÍTULO

7

Fluir

Mindfuness y el movimiento

Salí a dar un paseo y al final decidí quedarme fuera hasta el anochecer, pues descubrí que salir suponía realmente entrar.

John Muir,
John of the Mountains:
The Unpublished Journals of John Muir

Mindfulness no solo tiene lugar en el cojín de meditación. De hecho, muchas de las mejores prácticas de *mindfulness* para niños no se realizan permaneciendo quietos, sino en movimiento. Centrarse en un cuerpo inmóvil supone un reto, razón por la cual en tantas culturas existen prácticas contemplativas en movimiento, como la danza ritual, el deporte y las artes marciales. Con frecuencia pensamos en el yoga y el tai chi como prácticas que estimulan el movimiento consciente, pero hay docenas, si no cientos, de otras prácticas de todo el mundo que combinan el movimiento con la conciencia meditativa. Y podemos llevar *mindfulness* a cualquier movimiento que hagamos en nuestras vidas diarias. Especialmente para los niños activos, el movimiento ofrece innumerables oportunidades de practicar la atención plena.

Integrar *mindfulness* en el movimiento proporciona el beneficio añadido de combinar el ejercicio mental y el físico. Incluso una pequeña cantidad de ejercicio físico tiene poderosos efectos sobre el bienestar, la salud física e incluso la salud mental.[1] Son abundantes los estudios que muestran los beneficios de caminar para la depresión o la ansiedad, por no hablar del bienestar físico. Sin embargo, a pesar del creciente conocimiento que tenemos de ello, el ejercicio físico se está recortando en los programas infantiles, tanto en los formales como en los informales. El movimiento consciente ayuda a que nuestros niños se desarrollen y florezcan físicamente, así como emocional y cognitivamente.

Andar es un movimiento que hacemos cada día, generalmente sin prestarle mucha atención. Este capítulo está dedicado fundamentalmente a las meditaciones caminando, en las que llevamos la atención de forma deliberada a la experiencia de caminar, como práctica formal y en la vida diaria.

Salir a caminar por la naturaleza también puede abrir los ojos de los niños, ofreciéndoles nuevas perspectivas, diferentes de aquellas que encuentran de puertas adentro o en sus aparatos electrónicos. Richard Louv, entre otros, escribe sobre «el trastorno de déficit de naturaleza» y cómo afecta la salud física y emocional de los más pequeños.[2] Varios estudios hallaron que incluso una mínima exposición a espacios verdes promueve la felicidad y la atención. Muchos de nosotros hemos experimentado el poder de la naturaleza para calmar nuestras emociones más difíciles. El mundo natural está lleno de lecciones que aprender y metáforas que explorar.

MEDITACIÓN BÁSICA CAMINANDO

La meditación básica caminando es muy sencilla. Todo lo que necesitas hacer es ser consciente de ti mismo caminando, con las sensaciones de tu cuerpo como el ancla de la meditación. Para romper con el caminar con piloto automático, pregúntate: «¿Cómo sé que estoy caminando?» y luego verifícalo con tus sentidos. También ayuda llevar conciencia a ciertos aspectos del caminar. Por ejemplo, puedes llevar conciencia a tu cuerpo al percibir la sensación de tus pies sobre el suelo o el movimiento de tus músculos. Presta atención no solo a lo que hacen tus piernas, sino también tus brazos, tu torso, tu columna vertebral y tu cabeza, mientras caminas. Quizás puedas detectar cambios sutiles en tu pulso, tu temperatura corporal o tu ritmo respiratorio, antes, durante y después de caminar. También puedes centrarte en el suave movimiento oscilante del peso de todo tu cuerpo.

Aunque no tienes que andar despacio (o andar como un zombi, tal como los niños inevitablemente bromean), una cierta lentitud facilita que te des cuenta de las sutilezas del caminar. Pero experimentar con diferentes velocidades también es divertido.

A veces, cuando utilizamos la respiración como ancla para nuestra meditación, nos centramos en ese punto entre la inspiración y la espiración en el que se produce un instante de quietud. De manera similar, al caminar, podemos percibir los puntos de quietud en los que el paso de la pierna derecha se convierte en paso de la pierna izquierda, y así sucesivamente.

Para los adultos y para los niños más mayores, el caminar consciente tiene muchas ventajas que ofrecer. Casi todos los niños con los que he trabajado me dicen que el caminar consciente es la práctica que más les gusta y que la utilizan más que cualquier otra, en parte por ser tan fácil y asequible.

ADAPTAR LA MEDITACIÓN BÁSICA CAMINANDO PARA NIÑOS

Centrarse tan solo en el cuerpo en movimiento puede ser difícil para los niños más pequeños, con su período de atención más breve y la confusión acerca de cuál es el punto de concentración del caminar consciente. Thich Nhat Hanh sugiere hacer que den unos cuantos pasos conscientemente y luego unas vueltas corriendo un poco, antes de retomar el caminar consciente. Una manera sencilla de centrar su atención es pedirles que cuenten al ritmo de sus pasos. Cuando pierden la cuenta, pueden volver a contar desde uno, asegurándose de hacerlo con aceptación y sin juzgarse.

CAMINAR CON PALABRAS

Puede ser útil tener algo que decir al mismo tiempo que se realizan los movimientos. Las palabras pueden ser abstractas. Por ejemplo, podemos decir «gracias» y enviar gratitud o compasión a nuestros pies y el resto de nuestro cuerpo mientras nos movemos –una práctica del programa de Christopher Germer y Kristin Neff llamado Autocompasión consciente–. O podemos en silencio e internamente repetir frases que nos sirvan de recordatorio para nosotros mismos.

Los niños más pequeños puede que quieran decir las siguientes cuatro líneas sugeridas por Thich Nhat Hanh, pronunciando en cada paso una línea:

He llegado,
estoy en casa,
en el aquí,
en el ahora.

A los adolescentes y a los niños mayores puede que les gusten algunas frases que le oí a Noah Levine, una con cada paso:

Ningún sitio adonde ir.
Nada que hacer.
No tener que ser nadie.

Tú y tus hijos también podéis crear vuestras propias frases para caminar.

CAMINAR CON LAS EMOCIONES

Llevar la conciencia de nuestra experiencia emocional al caminar añade otra dimensión a la meditación caminando. Por ejemplo, puedes pedirles a tus hijos que sean conscientes de lo que sienten al acercarse a otros o estar cerca del espacio personal de otros (ver «Práctica del espacio personal», en el capítulo 6). O podrías pedirles que les sonrían a todas las personas que encuentren, haciendo de su meditación caminando una versión de «La meditación de la sonrisa», que puedes encontrar en el capítulo 9. En un grupo más bien grande, a menudo empieza a formarse un ritmo físico y emocional natural a medida que la gente se mueve, algo que sería interesante comentar.

Niños de todas las edades a menudo describen lo autoconscientes que se sienten al comienzo, caminando en círculo conscientemente, en un grupo, preguntándose si todos están prestando tanta atención a su caminar como ellos. Preguntarles qué les parece esa experiencia de autoconciencia, qué sienten en su mente y su cuerpo y cómo se las arreglan con ella puede ser un debate muy rico e interesante. Otros podrían describir cómo sienten algunas microemociones de entusiasmo al caminar bajo la luz del sol, de temor cuando se acercan a un terraplén o de curiosidad acerca de su entorno.

Puedes explorar otros aspectos de caminar y de estar en grupo simplemente haciendo que los niños se turnen para guiarse los unos a los otros. Después, puedes preguntarles cómo se sentían al guiar al grupo y luego cómo se sentían al seguir a otra persona. Estas preguntas pueden dar lugar a conversaciones sobre la confianza, la paciencia y otros tópicos interesantes.

CAMINAR CON LA IMAGINACIÓN

Con los niños más pequeños, puedes utilizar la visualización y la imaginación para convertir la meditación caminando en un juego divertido en el que sea más fácil centrarse. Puedes hacer que visualicen las siguientes posibilidades:

- Caminar sobre un lago helado, resbaladizo.
- Caminar descalzos, sobre arena caliente o lava fundida.
- Caminar guardando el equilibrio con un cubo de agua helada en la cabeza.
- Caminar intentando estar en completo silencio.
- Caminar con muy poca gravedad y con una enorme gravedad.

- Mantener los hombros alineados mientras caminan.
- Caminar como un pingüino, como un león o como cualquier otro animal preferido.
- Caminar «como si estuvieras besando la Tierra con tus pies», como dice Thich Nhat Hanh.

Utiliza tu imaginación para crear una historia que enganche a los niños. ¿Por qué están intentando andar tan silenciosamente como sea posible? ¿Son un grupo de espías? ¿Qué podría contener el cofre del tesoro que están tratando de obtener cruzando el lago helado?

Puedes también elegir llevar a cabo algún *role playing*-*que muchos de nosotros hicimos en la universidad y pedir a los niños que anden como si estuvieran experimentando una emoción determinada o como un personaje particular, una práctica que Deborah Schoeberlein sugiere en *Mindfulness para enseñar y aprender*. Esta actividad estimula el desarrollo de la compasión y la empatía, la capacidad de ponerse en la piel de otras personas. También promueve la comprensión de los modos en que el lenguaje corporal comunica mensajes, tanto a uno mismo como al mundo. Puedes darles a todos los niños la misma emoción, o puedes asignar distintas emociones a los distintos niños. Durante el paseo, de vez en cuando haz sonar una campana o realiza cualquier otra señal para que todo el mundo se detenga, respire y cambie de emoción.

---

* Técnica a través de la cuál se simula una situación que se presenta en la vida real. Al practicar esta técnica debes adoptar el papel de un personaje concreto y crear una situación como si se tratara de la vida real (N. del T.).

PERSONAJES QUE CAMINAN

Puedes hacer que los niños extraigan su personaje de un sombrero y luego caminen como él. En el sombrero se pueden incluir los siguientes personajes:

- Un fanfarrón enfadado.
- Una mujer de negocios segura de sí misma.
- Una viuda apenada.
- Una celebridad caminando por la alfombra roja.
- Una modelo desfilando por la pasarela.
- Alguien muy tímido.
- Una persona a la que le acaba de tocar la lotería.
- Un estudiante que acaba de suspender un examen.
- Una persona joven.
- Una persona anciana.
- Un actor caminando por el escenario para recibir un premio.
- Un niño de cinco años con TDAH.
- El capitán de un equipo de *hockey*.
- Alguien que encuentra a un viejo amigo después de años sin verse.
- Un adolescente con el corazón partido.
- Tú mismo.

Estoy seguro de que puedes pensar en muchos personajes más, y los niños también pueden decirte otros. Si lo deseas, utiliza también animales, desde un tímido ratón hasta feroces leones, y exploradlos igualmente. Pero antes de empezar ten en cuenta qué emociones o arquetipos podrían desencadenar estados que agobien excesivamente a los niños. Ten en cuenta también qué emociones y arquetipos podrían ser útiles para algunos de ellos.

La práctica de caminar en los zapatos de otra persona puede llevar a una rica conversación más tarde. Pregúntales en qué difieren las personalidades de la gente como la que caminaron, de su propia manera de andar y su personalidad. Los niños con frecuencia se dan cuenta de que su manera de andar y de actuar afecta a cómo se sienten respecto a los demás y a su entorno. Algunos quizás indiquen que cuando eran la viuda triste o el niño tímido, apenas eran conscientes del mundo que los rodeaba, porque sus ojos miraban hacia el suelo. Otros puede que observen que simulando tener confianza y seguridad en sí mismos realmente se sentían seguros. Explorar diferentes personajes y emociones puede realmente abrir los ojos.

CAMINAR HACIENDO TONTERÍAS

Una sugerencia divertida, del libro de Jan Chozen Bay, *How to Train a Wild Elephant*, consiste en caminar haciendo tonterías.[3] Quizás algunos lectores tienen la edad suficiente para recordar el *sketch* de Monty Python sobre el Ministerio del Caminar Haciendo Tonterías (se puede encontrar fácilmente online buscando «Ministry of Silly Walks»). Se trata de un *sketch* divertidísimo, y verlo puede inspirar tanto a los niños como a los adultos, para ahuyentar algunas de sus sensaciones de vergüenza. Andar haciendo tonterías no solo es divertido, sino que mantener el equilibrio mientras se hace generalmente requiere una increíble cantidad de atención. También es una buena actividad para ayudar a los niños a «sacarse las tonterías», de modo que puedan cambiar de marcha y pasar a andares menos tontos para tranquilizarse.

CAMINAR CON CONCIENCIA SENSORIAL

Esta adaptación de la meditación caminando es sencilla. La aprendí del instructor de meditación Chas DiCapua en un retiro de *mindfulness* para adolescentes.

- Primero camina manteniendo los ojos quietos y viendo cómo la visión cambia.
- Luego céntrate en las suelas de tus zapatos, percibiendo las distintas sensaciones.
- Ahora enfócate en los sonidos –tus propios sonidos y los del mundo en el que te mueves.
- Céntrate en los olores que hay en el aire.
- A continuación percíbelo todo simultáneamente.

CAMINAR 5-4-3-2-1

Una variante de «Caminar con conciencia sensorial» me la enseñó una participante de uno de los talleres, Annie Nelson. Ella les pide a los niños que anden por el exterior, sean conscientes y describan:

- Las cosas hermosas que ven.
- Los sonidos que escuchan.
- Las sensaciones que experimentan.
- Aquello que huelen o saborean.
- Los pensamientos que tienen.

CAMINAR MAL

Se trata de intentar que los niños anden manteniendo el equilibrio mientras llevan monedas sobre los pies, descalzos o con zapatos. Esto puede suponer un esfuerzo divertido y brindar una buena oportunidad para comentar todo un conjunto de reacciones al reto que supone. Especialmente ofrece lecciones sobre la frustración y nuestra respuesta a ella. Si andar con una moneda resulta demasiado fácil, añade más. Tanto las distracciones –los inevitables sonidos de las monedas rodando y las risas que siguen– como la atención del grupo son contagiosos, lo cual constituye otro punto interesante para comentar.

Del mismo modo, viejos juegos como llevar un huevo en una cuchara o un vaso lleno de agua sin que se derrame pueden llevar más conciencia y atención al simple acto de andar.

CAMINAR APRECIATIVO

Prestar atención a nuestro entorno es otro modo de llevar conciencia deliberadamente al caminar y cambiar nuestra percepción del mundo.

Puede que estés familiarizado con la idea de la psicología positiva, a menudo malinterpretada. La psicología positiva no consiste en tratar de simular que las cosas van bien, cuando no es así, o fingir que estás contento con ellas, cuando no lo estás. Tiene que ver con recalibrar el «sesgo negativo» que hemos incorporado, para ver el mundo de un modo equilibrado y realista. Para sobrevivir, nuestros antepasados necesitaban estar vigilantes ante lo peligroso y lo negativo de su entorno. Un error de la evolución es que todavía tendemos a percibir en todo momento lo negativo –aquello que es malo o potencialmente peligroso a nuestro alrededor–. Puede ser difícil de creer, pero la vida moderna realmente es más segura que cuando morábamos en cuevas o cuando éramos cazadores-recolectores. Un dicho de la psicología positiva es:

«Nuestros cerebros son teflón para lo positivo y velcro para lo negativo». Esta disciplina tiene que ver, justamente, con cambiar eso, de modo que la positividad y la negatividad queden igualadas en nuestros cerebros. Si venimos con un filtro incorporado para lo negativo, podemos cambiarlo a través de las prácticas de apreciación y gratitud, que nos permiten ver las cosas como realmente son.

Cuando le expliqué la psicología positiva a Sophie, una de mis pacientes, reflexionó durante un momento y lo resumió como solo una adolescente podría hacerlo:

—Ah, ya lo entiendo. Porque solía pensar que si presto atención solo a lo positivo, pisaría cacas de perro. Pero no se trata de fingir que la caca de perro no está ahí, sino de ser consciente, *además*, de que el sol y otras muchas cosas positivas también están ahí.

Mi amigo Christopher Germer señala que las prácticas de la psicología positiva, como la gratitud y la valoración, que nos permiten ver el mundo con mayor claridad, son realmente prácticas que generan sabiduría.

En un experimento se pidió a un grupo de universitarios que diesen un paseo de veinte minutos varias veces en una semana.[4] Los participantes fueron divididos en tres grupos. El primero recibió instrucciones de tomar conciencia y contemplar lo positivo, centrándose en el sol, las flores y otros elementos positivos que encontrasen en su paseo. El segundo grupo tenía que centrarse en lo negativo, el ruido y la polución que los rodeaba. Al último grupo se le pidió simplemente que diera un paseo.

Los resultados, después de una semana, fueron más o menos como se esperaba: el estado de ánimo general del grupo positivo mejoró, el estado anímico general del grupo negativo empeoró y el grupo de control se sintió ligeramente mejor, como resultado de haber realizado un poco de ejercicio. Los resultados a largo plazo supusieron una sorpresa: al cabo de unos meses, los miembros del grupo positivo informaron de que continuaban sintiéndose más positivos y felices.

Estos resultados sirven de inspiración para otra práctica: simplemente percibir la belleza del mundo que nos rodea mientras caminamos. Puede ser un árbol que empieza a florecer, un matiz de la luz especialmente hermoso, una casa que te agrade o un coche pintado con tu color favorito. Si sales a pasear con tus hijos con cierta regularidad, puedes establecer como norma la práctica de pedirles que perciban algo positivo –algo hermoso, algo divertido o quizás un acto de amabilidad– durante el camino. Pueden escribirlo en un diario o compartirlo con otros.

Eliza, una joven con la que trabajé, estaba ansiosa en relación con la escuela. La larga caminata que tenía que hacer cada día hasta su colegio era el tráiler de una película de los horrores que tendrían lugar ese día. Ella practicaba el caminar apreciativo y se impregnaba de los buenos sentimientos que le llegaban. Cuando el sombrío invierno se estableció en Nueva Inglaterra, se propuso empezar a fotografiar pequeños retazos de color en el permanentemente gris invernal de su paseo –una fruta del bosque de un rojo brillante en el hielo a punto de fundirse, agujas de pino caídas en la nieve, etcétera–. Envió sus fotos a un blog de fotografía consciente. Si lo hiciera ahora, probablemente sería un *hashtag* de Instagram. Encontrar momentos de positividad o de belleza en el trayecto diario al trabajo o a la escuela puede ser especialmente útil, ya que la investigación muestra que esa es a menudo la parte más estresante del día, para adultos y para niños por igual. El caminar apreciativo, que puedes practicar cuando vas al trabajo, puede convertir la experiencia estresante en una oportunidad para la práctica de *mindfulness*.

¿PODEMOS HALLAR NUESTRO CAMINO HACIA UN NUEVO MODO DE PENSAR Y SENTIR?

Modificar el modo de mantenernos en pie y de mover nuestros cuerpos cambia de manera espectacular cómo nos sentimos. Los profesores de la escuela de negocios Amy Cuddy, Dana Carney y Andy Yap, estudiaron cómo afectan las posturas y las poses tanto al modo en que nosotros mismos nos sentimos como al modo en que nos perciben, a corto y a largo plazo.[5] Sabemos que el lenguaje corporal se comunica a los demás; ellos estudiaron lo que nos comunica a nosotros mismos. Hallaron que algunas «posturas de gran poder» (pensemos en Wonder Woman o en Superman) conducen a un incremento de las hormonas que crean una mayor confianza y un menor estrés. Las «posturas de escaso poder» parecen producir lo opuesto. Un cuerpo encogido –una postura de debilidad, con los hombros caídos, los brazos cruzados, la cabeza agachada, la mano detrás del cuello– lleva a un aumento de las hormonas del estrés y una disminución de las relacionadas con la confianza. Cuando los participantes en la investigación adoptaron una postura de gran poder durante tan solo dos minutos, antes de una falsa entrevista de trabajo, consiguieron el trabajo simulado más a menudo, y se los describió como teniendo más presencia y personalidad que aquellos que adoptaron la postura de escaso poder.

Adoptar posturas de poder con los niños puede ser una gran lección. Mindfulness no tiene que significar sentarse en un cojín; moverse conscientemente y cambiar la postura corporal –en yoga, realizar posturas de poder, o incluso en el ejercicio de respuesta al estrés, que se halla en el capítulo 1– puede cambiar cómo nos vemos a nosotros mismos y el mundo que nos rodea, así como la manera en que el mundo nos ve a nosotros.

MINDFULNESS EN LOS DEPORTES Y EN LA GIMNASIA

Un deporte o una actividad gimnástica que enfatice la forma y cultive la concentración es una oportunidad natural para llevar la atención al cuerpo y su entorno. Puede servir prácticamente cualquier deporte, pero especialmente:

- Tiro al arco
- Regatas en equipo
- Danza
- Esgrima
- Pesca con mosca
- Golf
- Gimnasia
- Senderismo
- Artes marciales
- Carreras de obstáculos
- Escalada
- Correr
- Navegación
- Patinaje
- Esquiar
- Surfear
- Tenis
- Yoga

El yoga es una práctica de concentración que prepara el cuerpo y la mente para la meditación, pero puede realizarse de manera plenamente consciente, percatándonos de por dónde vagan nuestras mentes mientras practicamos. Las posturas de equilibrio ofrecen grandes lecciones del poder de una mente en calma. Intenta adoptar la postura del árbol, o simplemente mantenerte de pie sobre una pierna, mientras estás distraído, emocionado, riéndote con un chiste o incluso con la mirada vagando por la habitación; el cuerpo y el equilibrio colapsan inevitablemente. Nuestros cuerpos contienen mucha sabiduría, y distintas posturas activan diferentes emociones, recuerdos e impulsos en cada persona. Simplemente prestar atención a lo que aparece cuando practicamos posturas, sin juzgar, es una práctica de *mindfulness* en sí misma.

Nuestros cuerpos pueden ser también ilustraciones. Tiempo de Historias en el Yoga, un fantástico programa del que he tenido noticias recientemente, integra posturas de yoga con historias que los propios niños escriben, de manera que aprenden tanto conciencia corporal como reflexiones escritas. En «Buscar la quietud», otra práctica, intentas mover todo tu cuerpo manteniendo una parte completamente quieta, y luego permites que la quietud de esa parte se propague lentamente por todo tu cuerpo, entrenando la mente y el cuerpo en la concentración.

Mindfulness en los deportes no tiene que limitarse a esas actividades que parecen meditativas. Deportes de equipo, competitivos, como el baloncesto, el *hockey* y el fútbol, también pueden incorporar elementos de *mindfulness* para ayudar a que mejoren su juego, como muchos deportistas famosos (y campeones del mundo) han aprendido. Cuenta la leyenda que el entrenador Phil Jackson hacía que los jugadores de Los Angeles Lakers se pusieran conscientemente los calcetines en el vestuario antes de salir a jugar. Muchos entrenadores utilizan la visualización guiada con sus equipos para practicar determinadas jugadas, como lanzamiento de faltas directas o penaltis, mientras que otros enseñan prácticas de conciencia para ayudar a que los jugadores permanezcan alertas y sigan el balón o emplean prácticas respiratorias para ayudarles a regular su estrés frente a millones de seguidores.

Para obtener más información sobre *mindfulness* en deportes competitivos, puedes ver el libro de George Mumford, de 2015, *The Mindful Athlete*.

CAPÍTULO

8

Un atajo hacia el presente

Utilizando el sonido y nuestros sentidos

Entre el estímulo y la respuesta hay un espacio.
En ese espacio mora nuestra libertad y el poder de elegir nuestra respuesta.
En nuestra respuesta se halla nuestro crecimiento y nuestra felicidad.

Anónimo,
citado en el prólogo de Stephen R. Cowey en
Prisoners of Our Thoughts, de Alex Pattekos

Cuando nuestra mente no está entrenada, nuestros pensamientos corren hacia el futuro, hacia el pasado, a cualquier parte menos al aquí y ahora. A diferencia de nuestra mente y nuestros pensamientos, nuestros cinco sentidos están siempre en el presente y de ese modo disponibles para enraizarnos. Al mismo tiempo, nuestros sentidos pueden estimular distracciones o divergencias: un sonido se convierte en una imagen y una historia, un olor evoca las emociones de otro tiempo, una sensación táctil provoca un juicio instantáneo de agrado o desagrado... De estas reacciones hay mucho que aprender –nuevas comprensiones sobre los estímulos, lo que me gusta y lo que no me gusta, los deseos y las aversiones y los patrones de conducta condicionados con los que respondemos.

Son nuestros sentidos los que nos recuerdan que estamos vivos y nos permiten apreciar y saborear todo lo que la vida nos ofrece. Helen Keller en una ocasión le preguntó a una amiga que había estado caminando por el bosque qué había visto en su paseo. «Nada en particular», respondió la amiga. Sorprendida por aquella respuesta, Keller se sintió inspirada para escribir un ensayo acerca de lo que haría si volviera a ver durante tres días. En él dice:

> Yo que soy ciega puedo hacer alguna insinuación a los que ven –un consejo a quienes hagan uso del don de la vista–. Utiliza tus ojos como si mañana fueras a volverte invidente. Y el mismo método puede aplicarse a los demás sentidos. Escucha la música de las voces, la canción de un pájaro, los potentes sonidos de una orquesta, como si fueras a quedarte sordo mañana. Toca cada objeto como si mañana tu sentido del tacto fuera a desaparecer. Huele el perfume de las flores, saborea deleitándote en cada bocado, como si mañana no fueses ya capaz de oler y degustar. Aprovecha al máximo cada sentido; glorifica todas las facetas del placer y la belleza que el mundo te revela a través de los varios medios de contacto que la naturaleza ofrece.[1]

Este pasaje muestra de manera preciosa el poder de *mindfulness*, la belleza de nuestros sentidos y las virtudes del saber apreciar y saber agradecer. Sirve también como recordatorio de que mucha gente en este mundo no tiene todos sus sentidos tan plenamente intactos como quizás los tengas tú.

Este capítulo podría ser infinitamente largo y bucear en docenas de prácticas que ponen en juego los cinco sentidos o alguno de ellos. Para no extendernos demasiado, se centrará en los sonidos y en nuestro sentido del oído, aunque ofrezco algunas sugerencias para que se puedan emplear otros sentidos en nuestra atención plena.

Muchas personas utilizan campanas, platillos, boles de cuarzo y otros utensilios para comenzar o terminar una práctica de meditación. Si esto te parece demasiado espiritual, puedes usar también tenedores, triángulos, tambores u otros instrumentos musicales para indicar momentos de transición en una meditación.

EL SONIDO QUE DESAPARECE

Una práctica sencilla e introductoria de escucha para niños consiste en pedirles que cierren los ojos y escuchen el sonido de una campana o unos platillos que tengan una reverberación larga. Deben escuchar cuidadosamente al comienzo, a mitad y al final del sonido; y luego que levanten la mano cuando el sonido haya desaparecido completamente para ellos.

Esta práctica es una manera encantadora de indicar el comienzo y el final de una práctica, ya estés realizándola en casa, en un aula o en cualquier otra parte. Yo abro y cierro muchos de mis encuentros con pacientes, colegas y alumnos en supervisión con el sonido de una campana. «Duelo de sonidos» es una variante: haz sonar dos campanas a la vez y pídeles a los niños que vayan cambiando su conciencia entre los dos sonidos a medida que uno se detiene y desaparece.

SURFEANDO EL PAISAJE DEL SONIDO

Esta meditación en el sonido puede hacerse más larga o más corta cambiando el número de los pasos que incluyas.

Puede ser útil apagar todas las máquinas que emitan un ruido continuo o intentar evitar que crujan las ventanas o las puertas. Con los novatos, los más pequeños o niños con períodos de atención cortos, prueba a dejar cinco o diez segundos (dos o tres respiraciones) entre los pasos. Para niños con grandes dificultades para mantener la atención, prueba con veinte o treinta segundos.

Tómate unos minutos para asentarte y explorar cómo va desapareciendo el sonido a tu alrededor. Cada vez que llegue un sonido, sintoniza con él y observa lo que hace la mente. Quizás comience a mostrarte una película o a contarte una historia, activar un pensamiento o una emoción o evocar un recuerdo. Observa cómo sucede esto y luego vuelve a la escucha.

Puedes sintonizar con sonidos por encima de ti... o sonidos por debajo de ti.

Sonidos a la izquierda... y a la derecha.

Sonidos detrás de ti... y delante de ti.

Si la mente se aleja o vaga con un sonido, suavemente vuelve a la escucha.

Date cuenta de los sonidos que están cerca. Date cuenta de los sonidos que están lejos.

Los sonidos externos al edificio. Los sonidos de dentro del edificio.

Los sonidos en el interior de la habitación.

Los sonidos de tu propio cuerpo –quizás incluso sonidos como tus pensamientos, dentro de tu propio cuerpo.

A partir de aquí, puedes hacer que los niños vayan cambiando para percatarse de diferentes tipos de sonidos.

Ahora, exploremos los diferentes tipos de sonidos que oímos.
Sonidos humanos.
Sonidos de la naturaleza.
Sonidos de máquinas.
Observa qué sientes al experimentar sonidos agradables y cómo responde la mente a ellos.
Observa qué sientes al experimentar sonidos desagradables y cómo responde la mente a ellos.
Nota los sonidos que son constantes. Sonidos que son cambiantes. Sonidos que son regulares y estables. Y sonidos aleatorios.
Si la mente vagabundea para seguir un sonido en particular, vuelve a la escucha.

Puedes continuar la meditación explorando las diferentes respuestas que dan nuestras mentes y nuestros cuerpos a los distintos sonidos, incluyendo cómo los percibimos con otras partes del cuerpo, más allá de nuestros oídos.

Intenta ahora inclinarte hacia delante para escuchar los sonidos.
E intenta inclinarte hacia atrás para que los sonidos aterricen en ti.
Trata de sintonizar solo con un sonido y escucharlo de verdad, explorando sus rasgos para ver si tiene una forma, una textura, un color o una emoción.

Trata de volver atrás y mantener en tus oídos todos los sonidos al mismo tiempo. ¿Puedes experimentarlos todos simultáneamente?
Intenta escuchar con todo tu cuerpo. Cuando llegue un sonido, siente las vibraciones en esa parte del cuerpo en la que el sonido aterriza. Deja que cada sonido caiga en ella suavemente, como si fuera lluvia.
Observa si puedes experimentar el sonido simplemente como sonido, antes de que tus oídos y tu cerebro construyan una historia con él.
Luego, vuelve a escuchar, tan solo recibir.
Vuelve ahora a percibir el sonido, observando qué hace tu mente, y de manera suave inclínate hacia atrás para escuchar, una y otra vez –solo ver qué hace tu mente.
Y al llegar al final de esta práctica, recuerda que puedes volver al presente cuando lo desees deslizándote en el paisaje del sonido durante un momento o simplemente en unos cuantos sonidos.

Hacer sonar una campana es una buena manera de terminar esta meditación. Antes de hacerlo, di: «Cuando suene la campana, escucha cómo el sonido va desapareciendo a medida que sintonizas con tus otros sentidos. Luego, abre los ojos, mueve los dedos de los pies y lleva todos tus sentidos de vuelta a la habitación».

Me encanta presentar esta meditación en lugares como las escuelas, porque los niños y el profesorado a menudo son escépticos respecto a practicar *mindfulness* en un lugar tan ruidoso y caótico. Esta meditación convierte los objetos de distracción, los sonidos, en el ancla de nuestra atención. En el proceso, transforma nuestra relación con la distracción y nos ayuda a ver de primera mano que *aquello a lo que te resistes, persiste*.

Esta meditación contiene lecciones más profundas, por ejemplo cómo transformar determinadas frustraciones en objetos de la atención. Por ejemplo, prestar atención a los sonidos desagradables puede ofrecer alguna comprensión sobre la incomodidad física o emocional, sobre cómo escuchar los sentimientos de depresión o ansiedad o sobre qué hace la mente con las experiencias desagradables o frustrantes. Explorar nuestra respuesta a un sonido molesto ofrece la oportunidad de explorar también cómo respondemos a una emoción o a una persona molesta. Comenzando con un solo sonido, aprendemos cómo el pensamiento se propaga y cómo puede obtenerse comprensión al prestar atención a todo, incluso a lo inevitablemente desagradable de nuestras vidas.

Esta meditación puede llevar a conversaciones sobre los estímulos emocionales. El sonido del tictac de un reloj, por ejemplo, estresa a nuestros pacientes preocupados por el tiempo o las fechas límite. Diariamente, muchas veces sin que nos percatemos de ello, penetran en nuestros oídos miles de sonidos, provocando siempre un estímulo por debajo del umbral de nuestra conciencia. Cuando realizamos esta práctica de manera cuidadosa, ayudamos a los niños a aprender a gestionar cualquier cosa que surja, creando un espacio para poder trabajar en ello.

Como terapeuta, utilizaba esta práctica para mí mismo cuando me daba cuenta de que mi ansiedad aumentaba durante una sesión de terapia familiar. Me hacía consciente de que estaba escuchando el sonido de un padre sorbiendo ansiosamente la espuma de su taza de café y ese sonido hacía que su ansiedad se contagiara al resto de nosotros. De modo que esta práctica puede ayudarnos a asentar y aclarar las emociones, individualmente o en grupo.

Esta práctica se puede convertir en un juego si se les pide a los niños que escuchen y, en silencio, escriban (o dibujen) tantos sonidos como puedan. Puedes decirles que observen las diferencias en los sonidos que a primera vista parecen iguales –distintos gorjeos de pájaros, diferentes árboles movidos por el viento, etcétera–. Un adolescente aficionado a la música con el que trabajé recibió inspiración de esta práctica de ir «cazando sonidos» y grabó «sonidos descubiertos» en la ciudad, para utilizar muestras en la música que compone.

Surfeando el paisaje sónico como práctica informal diaria

La escucha puede ser formal, como hemos visto, o informal. Todos conocemos la sencilla práctica de contar hasta diez para calmarnos, pero la de contar hasta cinco o diez *sonidos* es más efectiva e interesante. Algunos de los niños más ansiosos con los que trabajo hacen esto en silencio para centrarse antes de una prueba, una representación teatral o una competición atlética.

Hace unos años trabajé con un superviviente de un atentado con bomba que se encontraba permanentemente en el filo de la navaja, ya que su cerebro había sido reiniciado por el trauma. Manteniéndose alerta y enraizándose en la realidad del presente, más que en sus temores, pudo recuperar el control y calmarse en situaciones en las que hubiera entrado en pánico. Sus dos prácticas favoritas eran contar hasta cinco sonidos y hasta cinco sensaciones en su cuerpo cuando caminaba hacia lugares y situaciones nuevas. Contar sensaciones corporales nos recuerda que nuestros otros sentidos también están a nuestra disposición y podemos utilizarlos de manera similar.

En otra variante informal de esta meditación, compartimos sonidos con otra persona. Con los más pequeños, podemos contar hasta diez sonidos con ellos, nombrando por turnos lo que oímos y en qué nos hace pensar cada sonido.

MÚSICA Y *MINDFULNESS*

Muchos niños aman su música, sus iPod y sus auriculares. Escuchar música puede ser un modo efectivo de lidiar con el estrés. En mi trabajo, dedico una buena parte del tiempo a ayudar a que los niños desarrollen una tormenta de ideas con las habilidades que pueden utilizar en momentos difíciles, y escuchar música a menudo se sitúa en los puestos más altos de la lista. Cuando me preguntan cómo pueden escuchar música de manera atenta, ofrezco las prácticas siguientes.

PRÁCTICA DE *MINDFULNESS* DE UNA PISTA

A veces las canciones favoritas pierden su frescura y su impacto emocional. Esta práctica hace que nuestras antiguas canciones favoritas suenen nuevas otra vez.

Ponte auriculares o sube el volumen de los altavoces y no hagas nada más que escuchar una de tus canciones favoritas. Mira si puedes sintonizar solo con un instrumento o una de las pistas que recorre la canción. Muchas canciones ahora tienen docenas de pistas una sobre otra, y al escuchar de manera atenta es posible percibir aspectos nuevos antes no escuchados de una canción, haciendo que vuelva a sonar con una mayor frescura.

DEJA QUE LA MÚSICA TE CONMUEVA

Para los niños que luchan por identificar sus emociones antes de ser presas de ellas, sugiero la práctica siguiente:

Elige tres canciones: una canción alegre de tus favoritas, una triste y una de protesta.
Acuéstate con los ojos cerrados, sube el volumen y simplemente escucha cada canción. Al hacerlo, percibe en qué parte del cuerpo sientes que surge la emoción y date cuenta de qué aspecto tiene esa emoción.

Esta práctica de escuchar atentamente y con todo el cuerpo ofrece una lección de inteligencia emocional, o del fluir emocional –la capacidad de reconocer las emociones a medida que surgen en tiempo real y trabajar con ellas–. Canciones de frustración, de confusión o de miedo resultan interesantes para utilizar en esta práctica, pero no es fácil encontrarlas en la música pop. Un estudiante de cine me indicó que las películas o las bandas sonoras de televisión, algunas de las cuales pueden escucharse libremente *online*, a menudo incluyen música que desencadena un amplio abanico de emociones, incluyendo la ansiedad y la incertidumbre (piensa en la famosa música de *Tiburón* o de *Psicosis*). Escuchar atentamente música y darse cuenta de cómo nuestras emociones cambian con diferentes canciones puede también ayudar a los niños a calmarse y cambiar sus emociones. Por ejemplo, pueden hacer una lista que empiece con una canción muy rápida y gradualmente ir deslizándose hacia canciones más lentas y calmadas.

MÁS QUE PALABRAS

Esta práctica invita a los niños a darse cuenta de cómo responden a palabras significativas. Vi cómo el investigador científico Willoughby Britton hacía algo así en una presentación. Aquí está el comienzo del guion de una práctica:

Siéntate con los ojos cerrados o entrecerrados. Voy a decir unas cuantas palabras. Limítate a percibir cómo responde tu cuerpo a esas palabras, o cómo tu mente se monta películas o te cuenta historias cuando las escuchas. Date cuenta de las ondas de pensamiento que surgen cuando dejo caer esas palabras-piedrecitas en el fondo de tu calmada mente.

A partir de aquí, pronuncia una sola palabra en voz alta; haz una pausa, y pídeles a los niños que se den cuenta de su primera reacción ante ella –quizás una emoción, una imagen o un pensamiento–. Puedes invitarlos a compartir esa reacción inmediatamente o pedirles que la escriban para compartir en el debate al terminar la práctica.

Algunas palabras interesantes para dejar caer (o no, según qué niños), son las siguientes:

- Cumpleaños
- Festivo
- Fiesta
- Límite

- Instituto
- Deberes
- Fanfarrón
- Trabajo
- Dificultades
- Aniversario
- Fechar
- Adolescente

Los adultos pueden ofrecer respuestas distintas que los niños ante una palabra, al igual que los niños de edades o estados de ánimo diferentes. Comparar las diferencias en las reacciones de las personas posibilita un debate interesante.

****

Nuestros sentidos físicos constituyen el camino más directo hacia el momento presente, y llevar a ellos la atención es un modo de observar las reacciones de la mente y así llegar a comprenderla mejor. Podemos descubrir e intensificar nuestros sentidos dirigiéndolos hacia el interior o hacia el exterior, como en los juegos en los que nos tapamos los ojos mientras olemos o percibimos distintos objetos. Creatividad y voluntad de hacerlo es lo único que necesitas para crear tus propias prácticas sensoriales.

CAPÍTULO

9

Atención en el juego

Juegos, jugar y *mindfulness* creativo

Se puede descubrir más acerca de una persona en una hora de juego que en un año de conversación.

Atribuido generalmente a Platón

Para los niños, el juego es una parte fundamental de su desarrollo mental, social y emocional. Tenemos Internet para la información y los ordenadores para realizar cálculos, pero en el futuro necesitaremos personas que puedan resolver los problemas creativamente, pensar de forma crítica y guiar con compasión. Jugar enseña a los niños todas estas habilidades, y muchas más. Construye habilidades motoras finas y no tan finas, así como habilidades sociales, estimulando la cooperación, el compromiso y la compasión. Tanto jugar libremente como jugar de manera estructurada cultiva la perspectiva, trabaja la paciencia y desarrolla la inteligencia emocional. En terapia, jugar ayuda a los niños, tanto de manera verbal como no verbal, a procesar las relaciones y las experiencias difíciles en lugar de que empiecen a comportarse mal. Ver jugar a nuestros hijos nos dice mucho sobre cómo perciben su mundo e interactúan con él.

Los juegos estructurados han constituido siempre parte de la infancia. Reflejan los valores que les enseñamos a nuestros hijos y cómo los preparamos para el mundo. Hace años me hice consciente de que los niños de los diversos estratos socio-económicos juegan a juegos diferentes, o utilizan reglas distintas si se trata de los mismos juegos. Las diferencias los preparaban para los mundos en los que crecerían. En el centro de la ciudad, tanto el juego de cartas UNO como el baloncesto se jugaban con apuestas altas e impredecibles, basadas en la idea de que el ganador se lo llevaba todo; era también más difícil entrar en un juego y saber cuál era tu lugar en él que cuando jugabas el mismo juego en los suburbios, donde las reglas eran coherentes y claras. Las diferencias reflejaban claramente los mundos de los niños y sus futuros. Observé que en unos grupos se enfatizaba la cooperación y en otros la competitividad.

Cuando yo estaba creciendo había, tanto en la escuela como fuera de ella, juegos que reforzaban valores como la escucha atenta, el control de los impulsos y el funcionamiento eficiente. Y no, no se trataba de juegos especiales en absoluto. Piensa en *Simón dice* y *Mother Mary I**: estos juegos y otros parecidos realmente constituyen lecciones y una buena práctica. Otros, como el *Veo, veo...* o *El juego de las veinte preguntas*, cultivan el razonamiento inductivo. Piensa un momento: ¿qué les enseñan a los niños los juegos actuales? Y ¿son capaces los niños de aprender las lecciones que estos juegos les enseñan cuando tienen muy poco tiempo libre para jugar?

* Videojuego popular en Japón en la década de los ochenta (N. del T.)..

Los juegos a los que juegan nuestros hijos –videojuegos, juegos físicos, juegos de mesa y juegos de cartas– son una práctica para la vida real. Es ahí donde los niños comienzan a interiorizar valores que llevarán a la vida adulta. Cuando llevamos *mindfulness* y compasión a los juegos, les enseñamos *mindfulness* y compasión. Se den cuenta o no, hemos plantado las semillas que les permitirán crecer y convertirse en adultos conscientes y compasivos.

ADAPTAR JUEGOS EXISTENTES PARA LLEVAR A ELLOS *MINDFULNESS*

Con adaptaciones sencillas, muchos juegos pueden incorporar elementos de *mindfulness*. Por ejemplo, una de mis colegas adaptó *Candyland* para enseñar conciencia emocional (cualquier cosa que haga este videojuego más interesante es bien recibida, pues, hasta donde yo sé, se creó para torturar a los adultos por aburrimiento). Ella creó una serie de reglas en las que las cartas rojas equivalían a ira. Cuando un niño sacaba una carta roja, era invitado a describir un momento en el que sintió una gran ira, cómo sentía esa ira o qué podía hacer para manejar sus emociones cuando entrase en ese estado. Del mismo modo, las cartas azules denotaban tristeza y las amarillas, felicidad. El color importa menos que la idea general. Yo he utilizado las mismas reglas adaptadas y he añadido que las cartas naranja piden hacer una respiración consciente, las púrpura percibir una sensación en tu cuerpo y las verdes que percibas un sonido.

Algunos terapeutas escriben preguntas en los lados de los bloques de madera de los juegos de construcción e invitan a los niños a responder las preguntas cuando el bloque se cae. Las prácticas de respiración y de *mindfulness* podrían con la misma facilidad escribirse en los bloques. También pueden escribirse en el dorso de las cartas en juegos como de concentración y memoria. Una carta de bingo podría hacerse con veinticuatro prácticas breves en ella. Los jugadores que tienen la banca podrían incluir pegatinas con colores codificados que impliquen una práctica breve que hay que realizar al capturar una pieza.

Un juego podría comenzar con una práctica de respiración consciente, como «La respiración 7-11» o «La respiración de la sopa» (capítulo 11). Hacer una pausa para realizar una respiración consciente antes de lanzar el dado o de que te toque el turno funciona con los niños de cualquier edad. Podemos ir más despacio y hablar de todas las posibilidades para cada movimiento en un juego, poniendo de manifiesto las muchas elecciones que tenemos en cada momento. No cabe duda de que tú y tus creativos hijos pensaréis en muchas otras adaptaciones para juegos ya existentes.

JUEGOS *MINDFULNESS*

Podemos convertir en conscientes algunos juegos que ya existen, y también podemos convertir prácticas de *mindfulness* en algo parecido a un juego. Aquí tenemos dos ejemplos.

DR. DISTRACTOR

Mi colega y amigo Mitch Abblett practica *mindfulness* en la escuela terapéutica que dirige. Utiliza este juego *mindfulness* con grupos de niños de entre seis y once años. Todos los niños practican una tarea *mindfulness*, mientras uno es el Dr. Distractor. La función del doctor es realizar una conducta tonta (pero adecuada) para distraer al grupo de su práctica de *mindfulness*. El último niño en moverse o sonreír ante la distracción consigue ser el Dr. Distractor en la ronda siguiente.

ENCUENTRA LA CANCIÓN

La autora Deborah Plummer propone un juego en el que se esconde un reloj que hace tictac o un altavoz sin cable y se les pide a los niños que lo encuentren, basándose en la procedencia del sonido. Los niños pueden cerrar los ojos, escuchar cuidadosamente y luego señalar la dirección de la que procede el tictac o la canción.

LA MEDITACIÓN DE LA SONRISA

Hay una cita, generalmente atribuida a Thich Nhat Hanh, que dice: «A veces tu alegría es la fuente de tu sonrisa, pero a veces tu sonrisa puede ser la fuente de tu alegría». Esta práctica, que aprendí de mi amiga Janet Surrey, funciona mejor cuando los niños permanecen sentados en círculo, o al menos no están en filas.

Cierra los ojos, o simplemente relájalos y deja que descansen la mirada en el suelo, frente a ti.
Esboza una sonrisa en tus labios. Observa las sensaciones que la sonrisa produce. Observa también cuáles son tus emociones cuando sonríes.
Ahora sigue sonriendo al abrir o levantar los ojos y simplemente mira alrededor de la habitación. Comparte una sonrisa y contacto visual con alguien a quien veas, percibiendo qué emociones se producen cuando lo haces.

Una vez has sonreído a todos los que se hallan en la habitación, baja la mirada y sonríete a ti mismo.
Deja pasar unos veinte segundos o más, según el tamaño del grupo; luego haz sonar la campana para indicar el final de la sesión y abrir un diálogo.

Puedes decirles a los niños que realicen esta práctica mientras caminan alrededor de un espacio reducido. En esta adaptación, omite la instrucción de que cierren los ojos. Otra variante es hacer que el grupo le envíe sonrisas a una persona cada vez, en una «ola de sonrisas», de modo que estas se mueven en círculo.

Si solo sois dos, podéis simplemente sonreíros el uno al otro durante unas respiraciones; luego bajad la mirada.

PASA LA RESPIRACIÓN

Un buen soporte para compartir la respiración consciente con niños es una esfera Hoberman –un balón de juguete que se expande–. Esta práctica, de mi amiga Fiona Jensen, incorpora una esfera Hoberman como ayuda visual y cinética. En general, esta práctica funciona mejor con el grupo colocado en círculo, sentados o de pie.

Tú, el adulto, serás el que comience. Sostén la esfera en tus manos, en su posición más pequeña, más compacta. Expándela al ritmo de tu inspiración, lenta y consciente, y al espirar contráela de nuevo. Haz que todos en el grupo respiren contigo. Luego, pasa la esfera a la persona siguiente y que repita lo mismo.

Con un grupo de seis niños, expandiréis el balón con seis respiraciones conscientes (siete, si tú también participas); en una clase de veinte, con veinte respiraciones conscientes. La práctica cultiva la cohesión grupal, a medida que sus respiraciones se alinean. Si sois solo dos, podéis pasar la esfera cada tres respiraciones hasta llegar a un número determinado o durante un período de tiempo concreto.

Si no tienes una esfera Hoberman, varios gestos o sonidos pueden representar la respiración como si pasase de un niño al siguiente. La primera persona podría decir: «inspiramos», y pasar a la siguiente. Ambos dicen a la vez: «espiramos». Luego, la segunda persona dice: «inspiramos», y el patrón se repite.

EL ESPEJO HUMANO

Otro juego divertido para todas las edades que enseña a prestar atención a los demás y sintonizar con ellos es «El espejo humano». Muchos de nosotros jugamos a versiones de este juego cuando éramos niños, y retrospectivamente podemos ver cuánto sirve para cultivar el *mindfulness* interpersonal.

Puedes realizar esta práctica como compañero de tu hijo. Podéis sentaros o permanecer de pie uno frente al otro. Decide quién será el primero en guiar.

El líder comienza moviendo partes de su cuerpo, primero lentamente y después aumentando la velocidad. La otra persona refleja el movimiento como si fuera un espejo. Después de un minuto o dos, haz sonar una campana o haz cualquier otra señal para indicar que es el momento de cambiar los roles. Ahora tu hijo se mueve y tú le sigues.

Sigue cambiando por turnos, el tiempo que quieras.

En una variante, el líder realiza diferentes expresiones faciales que representen distintas emociones. Otra variante, más intensa, es hacer que los compañeros mantengan el contacto visual todo el tiempo y utilizar solo su visión periférica para percibir el movimiento.

Si llevas a cabo esta práctica con dos niños, podéis hacer turnos para ser el líder, mientras los otros dos jugadores le siguen. O tú, el adulto, puedes ser el conductor y cronometrador mientras los niños juegan en pareja.

Si efectúas la práctica con un grupo, divídelos en parejas. Es mejor que tú formes las parejas, para no tener que tratar las ansiedades que surgen al dejar que los niños elijan compañero. Antes de comenzar, decide si quieres incluir el contacto físico o no, y en caso afirmativo, cómo. Quizás prefieres utilizar un acompañamiento musical para inspirar el movimiento.

Versión para grupos grandes: El caleidoscopio humano (o el mandala humano)

Mi amiga terapeuta Ashley Sitkin me enseñó esta versión de «El espejo humano», que es adecuada para grupos más avanzados. Crea un círculo con un número par de personas y asigna compañeros directamente uno frente a otro dentro del círculo. Un miembro de cada pareja guía, haciendo movimientos libres con manos y brazos, moviéndose dentro y fuera mientras el otro compañero lo imita. Todos los demás hacen lo mismo, de modo que si el círculo se mirase desde arriba, se vería cierta simetría, como sucede en un caleidoscopio. A la señal de cambio, los jugadores se mueven alrededor del círculo, volviendo finalmente a las posiciones originales. Otra variante es que todos miren a una persona, quien guía todo el grupo con sus movimientos.

CULTIVAR *MINDFULNESS* A TRAVÉS DE LA CREATIVIDAD

Los juegos y el movimiento son maneras de implicar creativamente a los niños en *mindfulness*. Las artes, la expresión artística y la creatividad también lo son. Implicarse en las artes enseña hermosas capacidades, y podemos hacer que destaquen llevando más atención plena a la actividad.

COLOREAR CONSCIENTE

Me he quedado sorprendido de lo poderoso y calmante que puede ser el simple acto de colorear, especialmente ciertos tipos de patrones, cuando estoy trabajando con pacientes de todas las edades. Formas como los fractales, los mandalas, los nudos celtas y las formas laberínticas se hacen eco, todas ellas, de diseños hallados en la naturaleza, y la investigación sugiere que estamos programados evolutivamente para sentir calma y seguridad en presencia de tales patrones. Carl Jung pensaba que las formas de los mandalas utilizan el inconsciente colectivo que nos constituye como seres humanos. En muy diversas culturas hallamos patrones y arquetipos similares.

Uno de mis casos más difíciles, hace unos años, fue un joven de dieciocho años que acababa de salir de la cárcel. En uno de nuestros primeros encuentros, dejé cerca de nosotros unos lápices de colores y fotocopias de patrones fractales, y muy pronto este joven seleccionó cuidadosamente los lápices y coloreando los patrones. Antes de darse cuenta, se había abierto y estaba hablando de sus vulnerabilidades más profundas, desde sus turbulentas relaciones con su padre hasta otros temas íntimos que nunca esperé que compartiera. El poder de estos patrones es sorprendente.

Hay muchas imágenes gratuitas *online* y libros para colorear que no son nada caros, incluyendo el nuevo género de moda, los libros para colorear de adultos. Los fractales y los mandalas son imágenes abstractas para todas las edades. Muchos libros para colorear sobre mandalas tienen imágenes relacionadas con diferentes herencias culturales, y eso puede resultar atractivo para un amplio abanico de niños. Colorear libros de arte, arquitectura y motivos de diseño puede hacer que los niños se comprometan también con distintos intereses. Piensa también en las herramientas para colorear –rotuladores, ceras o lápices de colores– y cómo estimulan la conciencia del olor, el sonido y el tacto, además del acto visual de colorear.

ACLARANDO LAS NUBES

Esta práctica constituye otra oportunidad para la expresión creativa. Está inspirada en mi colega Joan Klagsbrun, una experta en la práctica del *focusing* (concentrarse), que tiene mucho en común con *mindfulness*. Ella ha adaptado el primer paso del proceso de *focusing*, llamado «aclarando un espacio», para niños. Todo lo que se necesita son unos trocitos de papel, rotuladores o lápices y una cajita o bolsa de regalo para cada uno de los niños con los que estás trabajando.

Coloca los materiales de dibujo delante de cada niño. También la bolsa o la caja, pero un poco más lejos. Después sigue este guion:

Prepárate un momento y busca tu postura consciente, cerrando los ojos si así te sientes más cómodo.

Haz tres respiraciones conscientes y sintoniza con los sentimientos y emociones de tu cuerpo. Puedes cerrar los ojos si lo deseas, e incluso ponerte una mano sobre el corazón para que te ayude a centrarte.

Ahora, comprueba si hay sentimientos o pensamientos en el camino de tu felicidad. Si tu corazón es como el sol, ¿hay sentimientos que son como nubes que bloquean sus rayos? ¿Quizás un fuerte sentimiento?

(Después de dejar diez o veinte segundos para la reflexión, haz sonar una campana o haz alguna otra señal para indicar que llega la pausa).

Abre los ojos y date un minuto para escribir algunas palabras o hacer un dibujo del tipo de nube que está bloqueando tu sol interior.

(Dales a los niños un minuto para dibujar o escribir).

Ahora dobla tu papel y colócalo en la caja (o bolsa) que hay delante de ti.

Haz unas cuantas respiraciones más y sintoniza de nuevo. ¿Hay algo más que te impida ser plenamente feliz y estar totalmente presente, que no deja que el sol brille?

(Dales otros diez o veinte segundos, o hasta que veas que comienzan a revolverse y echar miraditas).

Una vez más, abre los ojos y dibuja o escribe lo que sea, y pon el papel en la caja (o bolsa).

(Dales un minuto, más o menos, para dibujar o escribir).

Haz unas cuantas respiraciones más y sintoniza de nuevo. ¿Hay algo más que te impida ser plenamente feliz y estar totalmente presente, que no deja que el sol brille?

(De nuevo, dales otros diez o veinte segundos).

Una vez más, dibuja o escribe lo que sea, y pon el papel en la caja (o bolsa).

(Dales un minuto, más o menos, para dibujar o escribir).

> Ahora, me gustaría que tomases la caja (o la bolsa) y la colocases a cualquier distancia que te parezca cómoda, de momento.
> (Los niños pueden ponerla delante de ellos pero alejada; algunos incluso pueden levantarse y caminar por la habitación para dejarla más lejos).
> A continuación, sintoniza con tu interior y siente cómo brilla tu sol interno. Con cada respiración, deja que las nubes se marchen y el sol aparezca. Ahora que has aclarado un espacio delante del sol, durante el resto del día puede ser más fácil volver a tu sol interno.
> (Haz sonar una campana o indica, de cualquier otro modo, el final de la práctica).

Puedes hacer muchas variantes de esta práctica creativa. Como yo utilizo cajitas de regalo con forma de búho que encontré en una tienda de objetos para celebraciones, digo: «Dádselos [los dibujos o palabras en el papel] al viejo búho».

Se pueden utilizar otras imágenes y preguntas para aclarar un camino hacia el momento presente o hacia la felicidad. Puedes hacer que los niños visualicen un camino en el bosque y vean los obstáculos que bloquean el paso. Podrías pedirles que se imaginen quitando las hierbas de un jardín para permitir que sus bellas flores florezcan, preguntarles qué hay en el jardín que no quieran y decirles que lo arranquen como si fuese un hierbajo; también puedes preguntarles qué es lo que echan en falta en el jardín y les gustaría que estuviese, para pasar a plantarlo, regarlo y exponerlo a la luz solar. Los niños más pequeños comprenderán mejor los obstáculos que se interponen en el camino de su felicidad; los más mayores o más experimentados puede que aprecien la eliminación de las nubes o un camino hacia el momento presente. También se les puede preguntar: «¿Hay algo del pasado o del futuro que se interponga entre vosotros y el presente?». Los adolescentes puede que no necesiten ni siquiera los dibujos para identificar estos elementos pasados y futuros.

Nota: probablemente querrás asegurarte de que los niños guarden sus cajitas y no terminen en manos equivocadas, o también se pueden reciclar todas sus cajitas juntas, para que se sientan seguros.

ESCRIBE TU PROPIA MEDITACIÓN SOBRE LA RESPIRACIÓN CONSCIENTE

Yo empecé mi práctica de *mindfulness* con entusiasmo después de una intensa experiencia en un retiro con el maestro zen Thich Nhat Hanh cuando me tomé unos días mientras estaba en la universidad. Compré su libro *El florecer del loto*, que contiene una serie de hermosas imágenes y palabras para meditaciones en la respiración.[1] En ese libro él lleva la visualización y el ritmo a la respiración, pues por sí sola puede ser difícil de mantener la concentración. Estos ejemplos permiten captar la idea:

Inspirando, sé que estoy inspirando.
Espirando, sé que estoy espirando.
Inspiro...
Espiro...

Al inspirar, mi respiración se hace más profunda.
Al espirar, mi respiración se hace más lenta.
Profunda...
Lenta...

Al inspirar, me siento en calma.
Al espirar, me siento bien.
Calma...
Bienestar...

Al inspirar, me veo como una flor.
Al espirar, me siento fresco y nuevo.
Flor...
Frescura...

Estas líneas constituyeron mi primera práctica –y las imágenes y los ritmos facilitaban que mi mente permaneciera centrada y en calma mientras practicaba–. Utilizaba un casete (sí, tanto tiempo hace) para grabarme a mí mismo y poder escucharlo más tarde, y pronto me di cuenta de que las imágenes eran infinitamente adaptables. Desde ese momento, he creado nuevas imágenes en colaboración con niños y adultos para sus propias meditaciones.

Utilizar las frases e imágenes de Thich Nhat Hanh con niños ha resultado especialmente intenso. En su libro, *Plantando semillas*, incluye un modo de realizar actividades artísticas a partir de estas prácticas a través del dibujo.[2]

Piensa en tus hijos y en qué imágenes podrían ayudarles, a la vista de su pasado o teniendo en cuenta con qué están luchando en ese momento. Comienza con una imagen, quizás de algo natural, y luego dibújala y contempla sus cualidades. Por ejemplo, para niños que luchan contra la ansiedad o la impulsividad, el agua en calma podría ser una buena imagen: refleja el mundo de alrededor claramente, se asienta, tiene profundidad, es serena y se halla en descanso. Cuando el agua está quieta, no distorsiona lo que refleja, e incluso si hay ondas en su superficie, por debajo puede estar en calma, como vimos en «La piedra en el lago», la práctica de visualización del capítulo 5.

Al inspirar, me veo como un lago

Al espirar, me siento tranquilo y en calma.

Lago...

Calma...

(Repetir).

Thich Nhat Hanh a menudo comienza con frases como «Inspirando, sé que estoy inspirando» o «Mi respiración se hace profunda/lenta», y luego añade frases con imágenes.

La fórmula es muy sencilla: contemplar un objeto con la respiración; luego, contemplar sus cualidades sanadoras. Crear tu propia meditación de *mindfulness* se convierte casi en un juego *Mad Libs*,* incorporando las imágenes y las cualidades que queremos cultivar. Aquí hay algunas sugerencias para ayudar a que los niños encuentren imágenes que funcionen para ellos:

* Juego de mesa donde se narra una historia, con espacios en blanco que el jugador debe ir rellenando. Fue inventado en los Estados Unidos y se han vendido más de 110 millones de copias desde que se publicó por primera vez en 1958 (N. del T.).

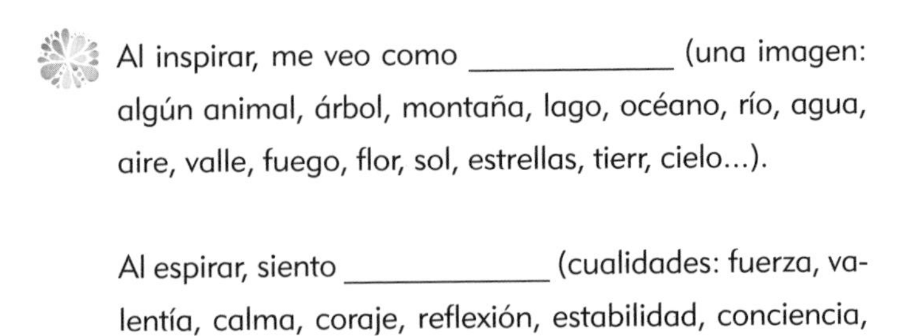

Al inspirar, me veo como ____________ (una imagen: algún animal, árbol, montaña, lago, océano, río, agua, aire, valle, fuego, flor, sol, estrellas, tierr, cielo...).

Al espirar, siento ____________ (cualidades: fuerza, valentía, calma, coraje, reflexión, estabilidad, conciencia, confianza, apertura, perseverancia, presencia, generosidad, flexibilidad, aceptación, coraje, energía).

Puedes introducir variaciones utilizando acciones, como «me sonrío a mí mismo», «me acepto», «soy consciente», «saboreo el momento» o «disfruto de mi respiración», y luego activar palabras como *observar, sentir, calmar, cuidar, liberar* o *sanar.* Por ejemplo:

Al inspirar, me sonrío a mí mismo.
Al espirar, me acepto tal como soy.
Sonreír...
Aceptar...

Otra variante consiste en inspirar una cualidad deseada y espirar una cualidad indeseada, como estrés, miedo o depresión.

Al inspirar, inspiro alivio.
Al espirar, espiro estrés.
Alivio...
Estrés...

Las variantes son infinitas. En el caso de un niño con temores, podrías elegir un león para la valentía o una montaña para la confianza: «Al inspirar, soy un león. Al espirar, me siento valiente» o «Al inspirar, soy una montaña. Al espirar, soy fuerte y tengo confianza». En el caso de un niño deprimido, prueba con el sol y el cielo: «Al inspirar, soy el sol brillante. Al espirar, soy el cielo abierto».

La idea principal es divertirse y escribir algo juntos. Puedes hacer que luego los niños dibujen sus imágenes en un trocito de papel, prestando atención al aspecto, a los sonidos y los olores del dibujo y que escriban sus versos en el dorso. Pueden compartir sus dibujos y versos con otro, si estás trabajando con un grupo. También podéis grabar los versos en sus ordenadores o sus *smartphones* para que puedan llevarse las palabras con ellos y escucharlas en cualquier momento.

OTRAS IDEAS ESCRITAS

Hay multitud de otras actividades escritas que enfatizan y enseñan tanto *mindfulness* como compasión. La investigación reciente ha demostrado que escribir (y leer) narraciones en primera persona aumenta la compasión y la empatía. Escribir el propio diario y la escritura expresiva hace tiempo que se sabe cómo benefician tanto la salud física y como la mental.

****

Las nuevas ideas y las nuevas intuiciones han nacido muchas veces en el juego y la expresión creativa. En la cúspide de todo ello se encuentra la pura diversión. Independientemente del tiempo que haya transcurrido desde la última vez que jugaste libremente, o fuiste creativo, anímate a pasar un tiempo simplemente jugando. Busca algunos juguetes, recorre los pasillos de una juguetería o toca el botón del pecho de ese muñeco parlante cuando los niños se hayan ido y permítete explorarlo. Oler los rotuladores, humedecer tus dedos con pintura, inventar una frase en la que se digan tonterías –lo que elijas hacer, déjate ir, sal de la mente que juzga y limítate a estar en el momento–. Mira qué juegos o prácticas conscientes surgen al permitirte jugar o crear libremente, sin avergonzarte, permitiendo que surjan nuevas ideas y nuevas conexiones (y si resulta que surge algo bueno, házmelo saber).

EL CEREBRO EN LA CREATIVIDAD

Hay buenas razones para utilizar metáforas, poesía y arte cuando enseñamos conceptos abstractos como *mindfulness*, y las buenas razones constituyen una gran parte de la tradición de *mindfulness*. Recientes estudios sobre resonancias magnéticas han podido observar cómo reacciona el cerebro al escuchar poesía, música y otros medios creativos de expresión.

El hecho de escuchar tanto poesía como música estimulaba las regiones del cerebro asociadas con la memoria y la emoción, y la poesía también iluminaba la corteza cingulada posterior y el sistema límbico, ambos asociados con la introspección.[3] De modo que quizás, después de todo, los poetas sean profundos.

Sabemos que las metáforas sintonizan con algo recóndito y sanador en la conciencia humana (ver el capítulo 5). Un estudio reciente halló que las zonas sensoriales del cerebro se activan como respuesta a las metáforas sensoriales.[4] La práctica artística se ha vinculado también con un mejor pensamiento crítico y con la tolerancia social.[5]

CAPÍTULO

10

Convirtiendo lo virtual en virtuoso

Mindfulness y la tecnología

Una vez, los hombres dirigieron su pensamiento hacia las máquinas con la esperanza de que esto los liberaría. Pero no hizo más que permitir que otros hombres, con las máquinas, los esclavizaran.

Frank Herbert,
Dune

Estaba volando para asistir a un congreso en el que hablaría sobre *mindfulness* con jóvenes la primavera pasada cuando miré a mi mesita desplegable. Mi Mac formaba la base de una clara pirámide de tecnologías de moda, con mi iPad encima del portátil y mi iPhone descansando sobre el iPad. Pasó un momento hasta que me di cuenta de lo absurdo de la escena que tenía ante mí: «Estoy a punto de hablar sobre la importancia de estar en el momento presente y tengo nada menos que tres brillantes productos de Apple justo delante de mí, solo para hacer un vuelo de un país a otro?». Agradecí poder ver el humor que aquello encerraba, ¡pero mi siguiente impulso fue hacer una foto y compartir *online* la ironía de todo ello con mis amigos!

No hay nada intrínsecamente positivo o negativo en la tecnología. La tecnología simplemente *está ahí*. Lo que hagamos con ella o cómo nos relacionemos con ella es lo que importa. Un adagio zen dice: «La mente pensante puede ser nuestro mejor sirviente o nuestro más terrible amo». Es una observación válida para no olvidar los horrores que puede crear nuestra mente, pero a menudo pienso en ella en relación con la tecnología que nos rodea. Puede parecer que nuestros artilugios de comunicación se usan con más frecuencia para desconectar que para conectar. La tecnología ha hecho más fácil la obtención de la información y la comunicación con otras personas que en cualquier otro momento de la historia humana. Sin embargo, nuestros artilugios nos conectan más rápidamente, pero no necesariamente de un modo más profundo. Y nos desconectan de nosotros mismos cuando nos convertimos en sus siervos, más que lo contrario.

La tecnología ha facilitado nuestras vidas de muchas maneras, pero nos aísla de la interacción humana. En lugar de sonreírle al vendedor que nos atiende (cuando no estamos comprando *online* o en la fila de pagar con tarjeta a una máquina), estamos absortos en nuestro móvil mientras la música golpea nuestros oídos. En lugar de preguntarle las direcciones a un desconocido que pasa por delante, las buscamos en nuestro *smartphone*. ¿Cuándo fue la última vez que entraste en una sala y todo el mundo estaba hablando entre sí, más que con la nariz metida en su móvil?

Linda Stone, la escritora sobre tecnología que inventó la expresión «atención parcial continua» para describir el estado corriente de nuestras mentes, ha dirigido su investigación hacia la «apnea de correo electrónico» –el fenómeno de cómo nuestra respiración se vuelve más forzada y superficial cuando interactuamos con nuestros artefactos–.[1] El modo en que cambiamos nuestra forma de respirar cuando estamos utilizando la tecnología es otro ejemplo de cómo la respiración puede permitirnos comprender nuestro estado mental. Escribir mensajes de texto mientras se conduce es un reconocido asunto de salud pública, pero incluso caminar enviando mensajes de texto es un asunto serio. Muchos estudiantes universitarios de mi zona han sido atropellados por un coche mientras cruzaban la calle con el móvil en la mano.

Utilizar la tecnología es adictivo, en un sentido muy literal. Nuestro uso de ella se ve estimulado por lo que se denomina en los estudios conductistas un «programa de refuerzo de frecuencia variable». Esto significa básicamente que el zumbido azaroso de nuestro móvil durante el día actúa como una pequeña recompensa para el cerebro, el cual se reprograma para ansiar más. Esto explica por qué vemos a los niños (o nos descubrimos a nosotros mismos) consultando una y otra vez, de manera automática, los correos electrónicos y las redes sociales. Los videojuegos, las máquinas tragaperras y los teléfonos móviles a menudo son diseñados por psicólogos para maximizar sus cualidades adictivas.

El filósofo Alan Watts dijo que la gran mentira de la televisión es que nos dice que hay algo ocurriendo en algún lugar que es más interesante que el aquí y ahora. Internet ha sustituido a la televisión, y si bien puede ofrecernos el ahora más rápidamente que nunca, no hay duda de que nos saca del aquí. Nuestros artilugios mantienen la falsa promesa de que hay algo más importante, más urgente, más interesante que nuestra experiencia del momento presente. Acepto que esta afirmación no va a hacer mucha mella en un niño de nueve años que se aferra a su iPad, pero creo que la idea está clara.

Podemos decirles a los niños que necesitan ponerle límites saludables al tiempo que pasan delante de las pantallas o podemos mostrárselo con nuestras propias acciones, que es mucho más difícil, pero mucho más efectivo. Yo soy tan culpable como cualquiera: me encantan mis aparatitos y mis redes sociales. Pregúntate cuánto tiempo pasas por la mañana contigo mismo y con tus seres queridos en persona, antes de teclear la brillante pantalla de tu iPhone. ¿Dónde está tu móvil ahora?, ¿cómo te sientes cuando no sabes dónde está? Generalmente ¿lo guardas en tu bolsillo, en tu bolso, en tu escritorio o en otra habitación?

EL ÓRGANO NÚMERO SETENTA Y NUEVE

En el congreso Sabiduría 2.0 de 2013 un presentador de Google hizo una sencilla demostración. La he adaptado en la siguiente práctica, llamada «El órgano número setenta y nueve». Pruébala con tus hijos, pero también con tus amigos y colegas adultos.

El cuerpo humano tiene setenta y ocho órganos. Para mantenernos vivos y conservar el equilibrio de nuestro sistema físico es necesario que cada uno de ellos haga su trabajo. Si se eliminase uno, sentiríamos un dolor agudo y rápidamente nuestros sistemas biológicos se desequilibrarían.

Actualmente, la mayoría de nosotros tiene un órgano número setenta y nueve, un órgano externo conocido como *smartphone*. Esta es una buena práctica para utilizarla después de un día sin tecnología o para indicar el final de un período de retiro.

Toma tu móvil ahora, a no ser que lo tengas ya en la mano. No lo enciendas. Simplemente percibe qué sensación te produce tenerlo en tu mano. Percibe tus emociones, tus impulsos, la respuesta de tu cuerpo al sostenerlo –su tamaño familiar, su forma, su peso, adecuados a tus manos–.
Ahora busca a alguien de confianza cerca de ti. Enciende tu móvil y percibe atentamente cómo te sientes cuando la pantalla se ilumina.
Pásale el móvil a esa persona.
¿Cómo te sentiste cuando se te pidió que le dejases tu móvil a otra persona? ¿Cómo te sentiste cuando se lo pasaste realmente? ¿Cómo te sientes cuando otra persona tiene tu móvil?
Después de un rato, apágalo.
Date un momento y reflexiona sobre esta práctica. ¿Qué sucedió en ti y por qué crees que fue así?

MIRAR FUERA Y MIRAR DENTRO

¿No te gusta cómo te sientes en este momento? (Y no tendrías que sentirte así, si te crees la mayoría de los anuncios). ¿Estás aburrido, aunque sea un poco? Mira o haz algo fuera de ti: mira un vídeo, juega, consulta tus redes sociales. Cuando les enseñamos a los niños a desconectar de su experiencia mediante distracciones digitales, no es de extrañar que nunca aprendan un fluir emocional básico, ni ciertas señales sociales, ni que las emociones y los impulsos surgen y pasan y que los seres humanos realmente pueden tolerar la incomodidad. Incluso cuando estamos contentos, nos apresuramos a salir de esa experiencia y hacernos un *selfie* para colgarlo en alguna red social. Los niños y los adolescentes de hoy en día nunca han vivido sin la tecnología de distracción y gratificación instantáneas.

En nuestro distraído mundo, la situación por defecto es mirar fuera. Hace poco, mientras viajaba por un pueblecito en Birmania, mirando por todas partes en una polvorienta parada de autobús, empapándome de la escena. Algo parecía diferente. Me costó un rato, pero luego me di cuenta de que los pasajeros estaban mirando el mundo a su alrededor, no sus móviles. ¿Cuántas veces, en un momento de aburrimiento, acudimos automáticamente a nuestro artefacto y vemos lo que está ocurriendo en cualquier otra parte del mundo, excepto donde nosotros estamos? La tecnología no es más que una distracción respecto a cómo nos sentimos en el momento presente. Algunas personas recurren también a las drogas, o se autolesionan, o muestran otros comportamientos problemáticos. Todos tenemos un servidor de distracciones y no nos gusta cómo nos sentimos interiormente. Con todas las distracciones en la punta de tus dedos, no hace falta que estés presente a ti mismo nunca, ni siquiera que experimentes la verdadera soledad.

Muchos de nosotros vemos las consecuencias de esta soledad de primera mano –no solo en los índices que se registran de enfermedades mentales entre los niños, sino también en los jóvenes que simplemente nunca desarrollaron la capacidad de estar consigo mismos y con su experiencia, mucho menos interactuar con otros sin mediación tecnológica–. Muchos jóvenes que conozco se agobian cuando finalmente son independientes para pensar quiénes son y qué quieren y tomar sus propias decisiones vitales.

Explícita e implícitamente, el modo en que vivimos y los medios de comunicación nos están enseñando a todos a estar solos, a estar demasiado ocupados para atender nuestras necesidades y a hacer frente a nuestras emociones mirando fuera de nosotros, más que mirando dentro, a la primera punzada de incomodidad.

En oposición a ese constante mirar fuera, *mindfulness* nos enseña cómo permanecer con nosotros mismos, la capacidad de estar solo. La curiosidad consciente nos revela que el momento presente es importante e interesante. Observar en nuestro interior los aspectos agradables, los desagradables y los neutros de nuestra experiencia y del mundo que nos rodea merece verdaderamente la pena. Con *mindfulness* miramos en el interior, establecemos contacto con la experiencia interna, la toleramos y quizás incluso aprendemos de ella. De este modo, llegamos a ser más felices y a estar más sanos.

Además de a estar solos, *mindfulness* nos enseña también a mantener una conexión auténtica con los demás. Un amigo que conocí en un retiro hace unos cuantos años se encarga del departamento de tecnología de la información en un prestigioso internado. Me contaba cómo una tormenta durante un fin de semana había provocado un corte de la electricidad y había dejado el centro sin comunicaciones durante unos días. Sin «nada que hacer», los estudiantes buscaron diversión y conexión de otros modos. Años después, muchos lo recordaban como uno de sus momentos preferidos en el internado, y también para mi amigo lo fue (y él es el encargado de las tecnologías de la información y la comunicación).

Podemos proponernos reducir el tiempo que pasamos con las tecnologías y aunque puede que al principio hallemos resistencia, finalmente terminaremos apreciándolo. Una familia con la que trabajo apaga el *router* inalámbrico durante buena parte del día, y si los niños quieren conectarse a Internet, lo hacen con un cable, al estilo antiguo. Como solo hay una habitación en la que puede conectarse el cable, esta norma al menos mantiene a los miembros de la familia en la misma habitación, y hace de conectarse a Internet un acto consciente, no algo hecho solo por aburrimiento. Otras familias e instituciones han establecido horas en las que Internet está encendido o apagado, o tienen habitaciones silenciosas virtuales en las que el *router* bloquea el acceso a algunos sitios. Otras establecen días u horas específicos para que sean «días festivos tecnológicos» o «viernes sin móviles», momentos en los que podemos estar realmente presentes a nosotros mismos y a quienes nos rodean. Se ha demostrado que el tiempo que se pasa sin tecnología aporta beneficios significativos en las habilidades sociales, así como en la reducción del estrés.[2] Los niños a menudo están preocupados por el miedo a perderse algo, pero cada vez más hablan de la liberación que supone desconectarse.

IDEAS PARA PONER LÍMITES AL USO DE LA TECNOLOGÍA

- Designar tiempos sin tecnología, como las horas antes de irse a dormir o las primeras horas después de despertarse.
- Designar lugares sin tecnología, como la mesa mientras se come, el coche, el salón familiar o los encuentros del personal en una empresa.

- Dejar el móvil en el coche o en el bolso más que en el bolsillo, mientras se hacen recados.
- En casa, acordar horas con y sin conexión.
- Recibidores para salas virtuales silenciosas, en los que las funciones de chat o de redes sociales están bloqueadas, en escuelas, bibliotecas y otros lugares públicos.
- Interactuar deliberadamente con la gente: preguntarle una dirección a alguien, hablar con el tendero y saludar a alguien que esté cerca de ti, más que mirar inmediatamente tu móvil.

USAR LA TECNOLOGÍA, NO ABUSAR DE ELLA

Puede que los adultos nos inquietemos ante los peligros de la tecnología, y esos peligros son muy reales. Pero la verdad es que a menudo somos tan adictos como los niños. Nuestra sociedad ha aprendido a maximizar las distracciones y los beneficios económicos de la tecnología, pero todavía no ha maximizado su potencial para la salud y la felicidad. Esta es la época en la que vivimos, y la mayoría de los jóvenes no tiene experiencia del mundo sin esos artilugios. Más que resistir, juzgar y retorcernos interiormente ante los peligros del mundo cableado, podemos lanzarnos el reto a nosotros mismos de hallar el modo de encontrarnos con nuestros hijos ahí, cruzando la brecha generacional y cultural, más que retarlos a ellos siempre para que vengan a nosotros. Ellos habitan este mundo digital como nativos; tenemos que llegar hasta su mundo, o al menos a medio camino, si queremos conectar con ellos.

Así pues, ¿cómo podemos hacer de la tecnología un aliado cuando estamos llevando *mindfulness* a los jóvenes, más que luchar contra ella y resistirnos?

Piensa en esas veces que tomas tu móvil para mirar qué ocurre fuera como una oportunidad para una breve práctica de *mindfulness* que consista en mirar primero en tu interior. Los pitidos y zumbidos de nuestros artefactos pueden ser recordatorios para hacer una respiración o volvernos a nuestro interior. Mark Epstein, psiquiatra y escritor, sugiere a veces *no* apagar el móvil cuando meditas. En lugar de eso, siéntate en meditación y observa las reacciones de tu cuerpo y de tu mente a cada pitido y zumbido del teléfono, las historias y las respuestas emocionales al silencio (anticipación, alivio), tus respuestas emocionales a los pitidos, trinos, canciones y zumbidos que surgen (irritación, curiosidad, ansiedad...) y cualquier impulso que emerja debido a los sonidos.

Podemos crear avisos sutiles en nuestros aparatos, como hacer del fondo de pantalla algún tipo de recordatorio para respirar o mirar en nuestro interior. ¿Cuántas veces al día tecleamos una contraseña en ellos? También esto puede constituir un recordatorio si hacemos que nuestra contraseña sea *respirar* o algo parecido.

Infinidad de páginas web gratuitas, aplicaciones y *podcast* ofrecen meditaciones guiadas, y también comentarios sobre las meditaciones. Hay también *software* y *hardware* que enseñan principios básicos de la relación mente-cuerpo a través de biorretroalimentación y neurorretroalimentación. Programas adicionales para los buscadores pueden bloquear algunas páginas web y distracciones durante los períodos de tiempo que se elija. Y a la vista de lo que sabemos sobre los efectos condicionantes de frecuencia variable, es importantísimo cerrar las alertas pasivas automáticas y apartar las notificaciones, y en su lugar realizar la elección *activa* de dirigirse al interior con mensajes y actualizaciones.

Casi todo el mundo tiene una grabadora en su *smartphone* o en su *tablet*. En la terapia individual y en los grupos, yo utilizo la mía para grabar las meditaciones guiadas y luego mandárselas por correo electrónico a los niños, subirlas a mi página web o colocarlas en un blog del grupo en el que los niños pueden comentarlas e interactuar. Los niños a menudo sienten algo íntimo y que les da seguridad si una voz familiar los guía a través de la práctica, especialmente cuando esta se ha hecho a medida para ellos. De este modo, pueden llevarla con ellos.

¿En qué otros modos puedes pensar para implicarlos en *mindfulness* empleando para ello el mundo digital?

CONSEJOS PARA UTILIZAR LA TECNOLOGÍA EN LA PRÁCTICA DE *MINDFULNESS*

- Compartir las prácticas con otros en un grupo, en alguna red social.
- Poner como imagen de fondo de pantalla en tu móvil, tu tono de notificaciones o tus contraseñas algo que te sirva de recordatorio para practicar algún aspecto de *mindfulness*.
- Grabar y escuchar meditaciones guiadas en tus aparatos personales.
- Establecer límites claros para los tiempos que pasáis delante de la pantalla, para ti y para tus hijos.

- Utilizar el calendario y las alarmas para que te recuerden tu práctica.
- Enviar textos o mensajes recordatorios a los amigos o miembros de la familia.

LAS REDES SOCIALES Y LA MENTE QUE COMPARA

Una flor no se compara con otras flores. Simplemente florece.

Anónimo

Cualquier encuentro social, pero especialmente un encuentro en las redes sociales, exacerba la *mente que compara*, causa de mucha infelicidad en las sociedades individualistas. Las imágenes perfectamente cuidadas de las vidas de la gente que se muestran *online* significan que estamos comparando nuestro interior con el aspecto exterior de los demás. Ciertamente, los adolescentes se han comparado con sus compañeros durante generaciones, han empleado horas frente al espejo y han elegido la ropa que se ponen para ir a la escuela y están realmente programados para esa preocupación por su imagen. Pero esto solía terminar con el timbre final de la escuela, cuando podían ir a casa y ponerse sus pantalones de chándal. Actualmente, con las redes sociales, mantener las apariencias es un trabajo de veinticuatro horas al día; socializarse y compararse es lo primero que se hace por la mañana y lo último por la noche. Mientras tanto, todo tipo de obscenidades, antaño relegadas a las paredes del cuarto de baño, se transmiten al mundo entero. La investigación en psicología muestra de manera consistente que las redes sociales están haciendo a los niños y a los adolescentes más infelices y más narcisistas. Ya el volumen y la naturaleza instantánea de los medios de comunicación digitales implican también que cuando iniciamos sesión estamos bebiendo de una boca de incendios que vomita estímulos emocionales. Tomemos Facebook, por ejemplo: podemos conectarnos desde cualquier parte del mundo y encontrar *posts* de amigos que estimulan la alegría, el resentimiento, la tristeza, la risa, la pena, los celos y muchas más cosas –todo en pocos instantes–. Podemos subirnos a la misma montaña rusa pidiéndole a más gente que nos agregue o visitando otras páginas web. Los seres humanos evolucionaron en pequeños círculos sociales, y no estamos programados para someternos a tanto contenido emocional a la vez, mucho menos para ser estimulados constantemente, por todas partes, sin tiempo para procesarlo y responder, en lugar de simplemente reaccionar.

Hace poco hablé con una mujer joven que estaba destrozada por lo que alguien había escrito sobre ella online. Ingenuamente le pregunté:

—¿Por qué simplemente no dejas de leer esa página web?

Ella me miró de tal modo que supe que era algo absolutamente imposible. Buena parte de la socialización ocurre *online*, y el miedo de perderse algo, tanto en el mundo virtual como en el real, domina la mente adolescente.

De modo que tenemos que preguntarnos si podemos enseñarnos a nosotros mismos y enseñar a los jóvenes que nos rodean a acercarnos a las redes sociales conscientemente, y quizás solo de forma ocasional.

LO QUE LA CIENCIA PUEDE DECIRNOS SOBRE LOS MEDIOS DE COMUNICACIÓN SOCIAL

La ciencia de los medios de comunicación social es realmente más compleja de lo que podrías imaginar. Por ejemplo, la investigación muestra que cuanto más miramos el estado de Facebook de otros, meticulosamente cuidado, peor tendemos a sentirnos. También lo contrario es cierto: si miramos hacia atrás, hacia nuestras actualizaciones, a menudo vemos los aspectos positivos de nuestra vida y tendemos a sentirnos mejor. Así pues, piensa en recorrer tus propias actualizaciones de vez en cuando, al mismo tiempo que miras las de otros.

La investigación prueba también que las recompensas y los castigos sociales funcionan igual, sea *online* o no. Si alguien interactúa con nosotros de modo positivo, obtenemos las mismas recompensas neuroquímicas en el cerebro. Cuando a nosotros (o a nuestros hijos) se nos rechaza o ignora *online*, tenemos el mismo sentimiento de rechazo que tendríamos en persona. Y lo que es más interesante, la sensación de ataque emocional activa la misma parte del cerebro que el ataque físico. El sufrimiento emocional es tan doloroso, es tan real, como el sufrimiento físico.[3]

MEDIOS DE COMUNICACIÓN SOCIAL CONSCIENTES

Sí, los medios de comunicación social están contribuyendo a una nueva era de estrés social adolescente, pero cuando aceptamos que están aquí para quedarse, podemos verlos también como una nueva oportunidad de conexión y de *mindfulness*, *si nosotros los utilizamos así*. *Mindfulness* nos dice que hay comprensión esperando en cualquier cosa cuando nos acercamos a ella con plena conciencia, y eso incluye también a los medios de comunicación social.

Podemos captar algo del poder de la comunidad a través de los medios de comunicación social. Podemos crear grupos *para* la práctica de *mindfulness* y conectar a la gente con instructores de meditación, recursos de *mindfulness* y a los unos con los otros. El *software* gratuito de los blogs hace que intercambiar contenidos y facilitar las conversaciones en las horas de la semana fuera de los encuentros de grupos *mindfulness* sea increíblemente sencillo.

Yo formo parte de un grupo de gratitud en Facebook, que comenzó hace años con una docena de amigos del barrio. Muchos de nosotros nos trasladamos a otros estados e incluso continentes, pero todavía seguimos compartiendo listas breves de aquello por lo que estamos agradecidos, unas cuantas veces a la semana. Twitter, Instagram y otros sitios utilizan varios *hashtags* relacionados con la meditación, como *#wannasit*, o puedes enviar «compasión» con un *hasthag #mettabomb*. Tumblr y otros blogs nos permiten compartir nuestras experiencias, citas favoritas, vídeos y otros materiales. Podemos practicar sesiones de meditación sentada, virtuales, con amigos de todo el país o de todo el mundo en días en los que no podemos planear una sentada con un amigo de la zona. Uno de los usos más sencillos de la tecnología es un grupo de mensajes de texto en el que estoy con amigos del grupo de meditación sentada de los domingos. Simplemente mandamos un mensaje de texto para actualizar cuándo nos hemos sentado durante el resto de la semana, respondemos con emoticonos alegres y nos inspiramos (o nos sentimos culpables) por la dedicación de otro. Los jóvenes podrían hacer algo semejante con una lista Snapchat o alguna otra aplicación que quizás yo no conozca.

Finalmente, he aquí una práctica de *mindfulness* en los medios de comunicación social, para que la practiques tú primero y luego puedas presentársela a los niños con los que trabajas:

Encuentra una postura cómoda, alerta y vigilante. Encoge los hombros, haz unas cuantas respiraciones y lleva la atención a tu estado físico y emocional en este momento concreto.

Ahora enciende el ordenador o el móvil.

Antes de abrir el sitio de tu medio de comunicación social favorito, piensa en tus intenciones y tus expectativas.

Cuando te fijes en el icono, observa qué sensaciones tienes, corporales y mentales.

¿Por qué estás a punto de mirar este sitio? ¿Qué esperas ver o no ver? ¿Cómo vas a responder a los diferentes tipos de actualizaciones que encuentres? Consultando tus redes sociales, ¿estás interesado en conectar o en desconectar y distraerte?

Cierra los ojos y céntrate en tu estado emocional durante tres respiraciones mientras esperas a que se abra la página o la aplicación.

Abre los ojos ahora y mira la primera actualización de estado o la primera foto, y luego cierra los ojos de nuevo.

Date cuenta de tu respuesta –tu emoción–. ¿Es excitación? ¿Aburrimiento? ¿Celos? ¿Remordimientos? ¿Miedo? ¿Cómo experimentas esta emoción en la mente y en el cuerpo? ¿Qué impulso sientes –leerlo, hacer clic a una respuesta, compartir algo tuyo u otra cosa?
Espera durante una o dos respiraciones a que las sensaciones y las emociones vayan desapareciendo o céntrate en tu respiración, tu cuerpo o los sonidos que te rodean, quizás con una práctica del momento consciente.
Prueba esta práctica con una actualización de los medios de comunicación social, o durante tres o cinco minutos, dependiendo del tiempo que tengas.

****

La tecnología no nos define, a pesar del intento de los medios de comunicación social de meternos en categorías y reducirnos a una serie de gustos e intereses. Un *koan* zen pregunta: «¿Cómo era tu rostro antes de nacer?». Hoy en día podríamos preguntar: «¿Qué aspecto tenía tu página de Facebook antes de registrarte?». Es la cuestión profunda de quién eres realmente, más allá de una serie de intereses y algoritmos cuantificables. Examinar y cambiar nuestra relación con la tecnología nos abre la puerta para enseñar a través del ejemplo y practicar nuevas maneras de hacer que la tecnología sea espiritual. Podemos incluso pensar en modos de espiritualizar la tecnología para los jóvenes que están creciendo en el mundo conectado.

CAPÍTULO

11

Estabilizar *mindfulness*

Integrar prácticas breves en el día a día

Mindfulness no es difícil; tan solo hace
falta acordarse de hacerlo.

Sharon Salzberg,
Real Happiness

Pedirles a los niños que practiquen *mindfulness* por sí solos puede parecer un salto de fe. La duda que ya albergamos respecto a nosotros mismos puede volver: «¿Alguna vez harán esto por sí solos? Si lo hacen, ¿querrán hablar de ello? ¿Se burlarán sus amigos?». Una vez más, confía en las prácticas, confía en ti mismo y, sobre todo, confía en ellos. Crea el espacio para el crecimiento, pero no lo fuerces. Si tus hijos realmente se resisten a una práctica independiente, simplemente sigue practicando junto a ellos y cultiva *mindfulness* en una comunidad más amplia, al mismo tiempo que vuelves al remanso de tu propia práctica.

La clave para estimular la práctica independiente es mantenerla simple y divertida. Recientemente, en un congreso, escuché a alguien decir: «De todos modos tienes que respirar y andar. Bien podrías intentar hacerlo interesante». Según algunos informes, respiramos unas treinta mil veces al día, de modo que probablemente podemos hacer algunas de esas respiraciones más conscientemente. Si estás con un grupo de niños, el refuerzo social puede ayudar, ya que probablemente querrán unirse a los comentarios posteriores y compartir sus experiencias. Esto es cierto especialmente si pueden expresarse de manera creativa, a través del arte, escribiendo o cantando. Me gusta la broma que dice: «Cuando los deberes consisten en no hacer nada, puede que no estén tan mal». También podemos llevar una atención plena a distintas partes de la rutina diaria, como andar y comer, y romper hábitos automáticos –como, por ejemplo, cepillarnos los dientes con la mano no dominante– o buscar prácticas cortas y sencillas para integrarlas en nuestra vida.

Factores como la experiencia de los niños, el período de atención que son capaces de mantener, el estilo de aprendizaje y las condiciones mentales o físicas que puedan existir, junto con la cultura y el contexto en el que están, entran en juego a la hora de decidir qué prácticas sugerir.

MOMENTOS BREVES MUCHAS VECES

> Un momento… no dura mucho por sí mismo, pero está muy bien así. No tienes que intentar prolongar ese momento; más bien, repítelo muchas veces –«momentos breves, muchas veces».
>
> **Lama Tulku Urgyen Rinpoché,**
> *As It Is*

Es posible que no todos los días tengas demasiado tiempo para dedicarlo a *mindfulness*, pero utilizar prácticas breves a lo largo del día reforzará las lecciones de nuestras prácticas más largas. Muchas de las prácticas breves que se incluyen en este capítulo son excelentes para que los niños las realicen independientemente. La idea es ayudarles a llevar prácticas breves de comprobación a la vida diaria en momentos claves o en los que resulta fácil acordarse.

DETÉNTE (STOP) Y TOMA UN MOMENTO DE LA VIDA DIARIA

Conjuntamente con tus hijos, elegid uno o dos momentos del día o algunas señales que os sirvan de recordatorios y una o dos prácticas para efectuar durante esos momentos, y comenzad a partir de ahí.

Hace unos años trabajé con una adolescente llamada Allegra, que sentía una tremenda ansiedad relacionada con el instituto. A menudo perdía las primeras horas del día debido a la ansiedad y a dolores estomacales, especialmente si la primera clase era la de matemáticas. Nuestro objetivo era hallar el modo de que pudiera contactar con el momento presente y observarse a sí misma y su estado de ánimo, y luego encontrar la manera de que se relajase durante el camino al instituto, para que el día que comenzaba resultase más manejable. El tiempo de práctica que elegimos fue su paseo hasta el instituto y más específicamente los momentos en que encontrase señales de *stop* en el camino. Estas señales se convirtieron en sus recordatorios para observar conscientemente su experiencia y tranquilizarse. La práctica era sencilla: en cada señal de *stop* haría la práctica del STOP consciente, tal como había popularizado Elisha Goldstein.

STOP es una práctica rápida y un acrónimo. Aunque puede tardarse menos de un minuto en llevarse a cabo, nos capacita para mirar conscientemente tanto en nuestro interior como en el entorno. En cada señal de *stop*, Allegra tendría que hacer lo siguiente:

Stop: dejar lo que estuviese haciendo (suponiendo que fuera seguro dejarlo).
Tomar (hacer) una respiración.
Observar lo que sucede, incluyendo lo que estaba ocurriendo en su interior y lo que estaba ocurriendo a su alrededor.
Planear qué hacer a continuación.

La práctica del «stop» no resolvía completamente la ansiedad de Allegra, pero al reducirse, fue capaz de llevar más conciencia a ese estado en el momento presente. Si un día concreto su ansiedad era alta, Allegra hacía una práctica de respiración u otra práctica que la calmase y disminuyese la ansiedad y luego continuaba su paseo hacia el instituto. Ahora está en la universidad y le va bien, asiste a todas las clases e incluso ha superado su prueba de matemáticas.

En los retiros de *mindfulness* con Thich Nhat Hanh, sonaba una campana con mucha frecuencia, como señal para hacer tres respiraciones conscientes. Después de unos cuantos días, todo el mundo comenzaba automáticamente la respiración consciente al sonido de la campana de *mindfulness* (es más, durante unas semanas después del retiro, el sonido de cualquier campana tenía el mismo efecto).

Hice terapia hace unos años con una niña de siete años encantadora, que sentía curiosidad por las campanas de meditación que guardo en mi escritorio. Decidimos que si, en cualquier momento de la sesión, ella se levantaba y hacía sonar la campana, yo haría tres respiraciones profundas, y ella haría una. Al principio creía que haría tonterías o se distraería con las campanas, y ocasionalmente así fue. Pero durante la mayor parte del tiempo se lo tomó en serio, e incluso nos divertimos más en nuestras sesiones. Su madre estuvo de acuerdo en probar en casa la práctica de las campanas de meditación cuando estuvieran jugando juntas.

Ron Epstein, un investigador y practicante de *mindfulness* a quien oí hablar recientemente, nos dijo: «Entre paciente y paciente, al abrir la puerta, toca conscientemente el pomo. Repítelo diez mil veces». Inspirado por esta sugerencia, otra joven con la que trabajé, que padece ansiedad moderada crónica, utiliza el pomo de la puerta como recordatorio para estar atenta a su cuerpo y su mente. Su práctica consiste en percibir cómo se siente su cuerpo cada vez que toca un pomo al salir de una habitación y detectar cómo se siente su mente cada vez que lo toca para entrar en una habitación. Bromeábamos diciendo que en días estresantes bebería mucha agua para asegurarse de que necesitaba ir al baño una cantidad extra de veces, lo que le daría más oportunidades de salir y entrar en habitaciones.

La cuestión es que si tú o tus hijos pensáis que no tenéis tiempo ni siquiera para una pequeña práctica de *mindfulness*, preguntaos qué está ocurriendo. Hay interminables pequeños momentos en nuestras vidas cotidianas en los que podemos tener claves de *mindfulness* o momentos conscientes. Más adelante te muestro una lista de ciento uno de esos momentos.

La tentación es elegir un buen montón de momentos, pero te animo a escoger uno o dos, relacionarlos con una práctica informal sencilla durante una semana o algo así y comenzar a construir a partir de ahí. Recuerda que las prácticas nuevas es más probable que cuajen cuando están conectadas con actividades que el niño está realizando ya como parte de su rutina.

Los niños pueden tener una oportunidad de ser conscientes cuando se les recuerda cómo llevar a cabo esas prácticas breves:

1. Acostado en la cama, lo primero de la mañana, justo antes de levantarse.
2. Al esperar que se llene la bañera o se caliente el agua de la ducha.
3. Esperando a que el semáforo se ponga verde.
4. Caminando por el metro en el cambio de estaciones.
5. Cuando en la escuela se está pasando lista para ver quién está presente.
6. Esperando a que se cargue un videojuego.
7. Esperando que se cargue una página web o que se abra una aplicación.
8. Al esperar que la tostada salte de la tostadora o que la campana del microondas suene.
9. Sentado durante una pausa.
10. Esperando el autobús, el metro o salir a dar una vuelta.
11. Esperando de pie al final de la cola para subir a un avión, un tren o un autocar.
12. Esperando a que otro llegue a una habitación o a la mesa.
13. Sentado en una sala de espera.

14. Esperando a que la impresora imprima.
15. De pie en una fila, por ejemplo en el supermercado.
16. Esperando a que se conecte el wifi.
17. Esperando a que se ponga en marcha el ordenador.
18. Esperando nuestro turno en un juego.
19. Esperando a que se llene el depósito de gasolina del coche.
20. Esperando que el café, la infusión o el té se prepare.
21. Esperando a que pasen los anuncios en la tele o que termine el vídeo de publicidad de una página web.
22. Esperando en un *chat* o la respuesta de un amigo.
23. Esperando para cruzar la calle.
24. Al echar una carta en un buzón de correos.

Pueden hacer una pausa para la práctica de *mindfulness* cada vez que:

25. Pasan por una puerta.
26. Oyen el sonido de un mensaje de texto.
27. Escuchan la campana de aviso de un medio de comunicación social.
28. Oyen gorjear a los pájaros.
29. Ven un determinado color que tú o ellos habéis elegido para todo el día o toda la semana.
30. Oyen una palabra determinada que tú o ellos habéis escogido para todo el día o toda la semana.
31. Tocan el pomo de una puerta.
32. Ven luces de freno en la autovía.
33. Están de pie al comienzo de una escalera.
34. Oyen sonar un teléfono.

35. Pasan una señal concreta, que habéis determinado previamente, como un árbol bonito, al pasear o al ir en coche.
36. Tocan un interruptor de la luz.
37. Caminan o van en coche y llegan a una señal de *stop*.
38. Ven u oyen un avión que vuela por encima de su cabeza.
39. Oyen sonar un claxon de coche en la distancia.
40. Sienten el viento en sus mejillas.
41. Abren un grifo.
42. Oyen una sirena de emergencia (esto puede ser también una oportunidad para la práctica de la compasión o los deseos amables).
43. Oyen el sonido de una risa.
44. Vislumbran la luna durante el día.
45. Miran su reloj.
46. Oyen los pitidos de un camión que está retrocediendo.
47. Oyen el ruido de la nevera o del horno.
48. Oyen el sonido de un coche arrancando.
49. Toman la correa del perro o salen con él para pasearlo.
50. Enchufan o desenchufan algo.
51. Se sientan, se ponen de pie o en el tiempo que transcurre entre ambas posiciones.
52. Chocan la mano con alguien.
53. Oyen la alarma de un coche a cierta distancia.
54. Clican un bolígrafo.
55. Ven un anuncio molesto que emerge en la pantalla del ordenador.
56. Oyen ladrar a su perro o maullar a su gato.

57. Ponen el pie en el suelo al levantarse de la cama.
58. Oyen sonar el timbre de la puerta de casa.
59. Abren su monedero o su cartera.
60. Abren un libro o una libreta.
61. Perciben un olor determinado, como por ejemplo a flores.
62. Oyen el llanto de un bebé (esta es otra buena oportunidad para practicar la compasión).
63. Sienten su mano buscando el móvil.
64. Te ven –a sus padres, su maestro, su terapeuta–, oyen tu voz, pasan por tu oficina o reciben un mensaje tuyo.
65. Consiguen un punto en un juego –o les marcan un tanto.

También pueden descansar y realizar una práctica breve, como hacer una respiración consciente o escanear su cuerpo, antes de:

66. Abrir la cerradura de su taquilla.
67. Pulsar *play* en su iPod.
68. Entrar en la ducha o bañera.
69. Presionar el botón del ascensor.
70. Abrir la nevera o un armario.
71. Meter la llave en una cerradura.
72. Darle al botón *on* de algo.
73. Abrir un sobre.
74. Comenzar un paseo o una excursión.
75. Abrir su bolso o mochila.
76. Dar el primer bocado de una comida.

77. Ponerse a hacer los deberes de casa.
78. Encender la televisión.
79. Dar de comer a su mascota.
80. Pulsar la tecla de *enviar* en un correo electrónico o un mensaje de texto.
81. Firmar algo.

Tú o tus hijos podéis elegir ciertas pequeñas acciones diarias con atención plena, como por ejemplo:

82. Pasear una mascota.
83. Rellenar un vaso o una botella de agua.
84. Colocar algo en el contenedor de basura orgánica o para reciclar.
85. Pelar una naranja o un plátano.
86. Caminar desde el *parking* hasta el edificio.
87. Caminar por un pasillo.
88. Pasar la tarjeta de crédito o la tarjeta del metro.
89. Abrazar a alguien o conversar con él.
90. Cargar la lavadora, el lavavajillas o la secadora.
91. Ponerse los calcetines o los zapatos.
92. Abrocharse un cinturón de seguridad.
93. Sacarle punta a un lápiz.
94. Chocar las manos con alguien.
95. Poner un sello en una carta.
96. Introducir dinero en una máquina expendedora.

Puede ser útil realizar una práctica breve de *mindfulness* o de autocompasión justo antes de cualquier situación generadora de ansiedad, como:

97. Un gran *rol play.*
98. Caminar por una cafetería, una clase o una fiesta llena de gente.
99. Antes de hablar en público.
100. Esperar a que el maestro reparta los exámenes.
101. Levantar una mano para decir algo en una clase.

Estoy seguro de que tú y tus hijos podéis fácilmente pensar en docenas de otros avisos o recordatorios para hacer una pausa y ser consciente durante vuestras vidas diarias. Y aquí hay una manera de verlo: presta atención a cuándo sientes el impulso de mirar tu móvil y date un momento antes de hacerlo para ser consciente. También puedes poner alertas en tu móvil o tu ordenador.

CONSEJOS PARA ELEGIR SEÑALES O MOMENTOS CONSCIENTES

Cuando estás comenzando, es útil tener un tiempo establecido o una señal determinada que te indique que hagas comprobaciones de tu estado mental y del de tus hijos. La rutina ayuda a los niños, como los padres y los maestros saben, y practicar en momentos de transición puede ser útil. Si trabajas con niños profesionalmente, quizás eso signifique el comienzo o el final de una clase, una actividad o una sesión. Cuando las prácticas forman parte de la rutina diaria y de la cultura más amplia, los niños comienzan a interiorizarlas. Y lo que es más importante todavía, no consideran la práctica de *mindfulness* como algo extraño ni la asocian con el castigo o con tener problemas, porque han practicado ya en momentos malos y en momentos buenos.

Hallar los momentos emocionalmente ideales para la práctica de *mindfulness* puede ser un reto. Es importante conocer los ritmos emocionales de tu hijo, alumno o paciente. Queremos introducir estas prácticas a la mente más abierta posible, y la mente rara vez está abierta cuando somos emocionales. Cuando alguien está en modo *luchar o huir* o emocionalmente desbordado, hay un mínimo ancho de banda para introducir información que no esté relacionada con la supervivencia inmediata, sea información sobre *mindfulness* o sobre matemáticas. La mayoría de los niños entienden que los atletas, músicos y otras personas que se exponen ante el público no entrenan solo el día de la competición o del concierto, sino que practican durante meses o incluso años antes del gran evento. La práctica de *mindfulness* es como el ejercicio de la mente. Y de hecho, la investigación está demostrando que incluso unos pocos momentos de práctica diaria de *mindfulness* probablemente es mejor que largas sesiones de práctica realizadas menos a menudo.

PRÁCTICAS BREVES

Hay docenas de prácticas que pueden realizarse en un minuto o menos. Las prácticas breves que vienen a continuación enseñan los elementos de *mindfulness*: conciencia, contacto con el momento presente, compasión y curiosidad. Incluyen prácticas de autoobservación y de relajación, así como prácticas corporales, respiratorias y mentales.

Cada práctica les irá mejor o les resultará más natural a unos niños que a otros. Las prácticas respiratorias pueden resultar difíciles para los que presentan problemas de ansiedad o de atención; las que incluyen movimiento o las que utilizan anclas externas pueden ser preferibles para ellos. La conciencia corporal puede ser muy útil, pero no es un punto de partida ideal para niños que tienen asociaciones negativas con su cuerpo, quizás a partir de alguna enfermedad, trauma o preocupación excesiva con su imagen corporal. Las técnicas de relajación para la mente y el cuerpo pueden ser fantásticas para el estrés o la ansiedad, pero no son tan útiles para niños que están cansados o deprimidos.

Se pueden colgar las instrucciones de una de estas prácticas breves en la pared, para que sea la práctica del día o de la semana, o hacer que los niños lleven las instrucciones en una ficha o en su móvil. Para integrar *mindfulness* en la vida cotidiana, leed la lista de ciento un momentos y después ayuda a tus hijos a señalar los momentos elegidos para una de estas prácticas breves.

LA RESPIRACIÓN DE LA SOPA

Respirar puede ser aburrido y, hay que reconocerlo, resulta difícil lograr que sea más interesante. Pero las metáforas y las visualizaciones pueden ayudar. Un participante en un taller que impartí me enseñó «La respiración de la sopa», una visualización fácil de adaptar que enseña la respiración regulada.

Levanta las manos como si sostuvieras un tazón de sopa y lo llevaras hasta tu cara. Respira suavemente por la nariz como si estuvieras inspirando el delicioso olor de la sopa. Espira a través de los labios como si soplaras la superficie del tazón lleno de sopa para enfriarlo, pero no de manera tan fuerte que se derrame.

He hecho la respiración de la sopa rusa de remolacha en Polonia, la respiración del té en Inglaterra y la respiración de la crema de avena en Bután. En Estados Unidos he hecho la respiración del chocolate caliente, e incluso la respiración de la pizza. Estoy seguro de que tú y tus hijos podéis pensar juntos en otros platos favoritos. Con principiantes o para calmar con rapidez la mente y el cuerpo, intenta hacer solo cinco respiraciones de la sopa; con niños experimentados, vale la pena dedicarle unos cuantos minutos.

La investigación en retroalimentación sugiere que la visualización por sí sola puede calentar nuestras manos, lo cual a su vez relaja el sistema nervioso. ¿Qué mejor modo de calentar tus manos que visualizar un tazón de sopa o una taza de chocolate caliente? También se puede llamar a esto «enfriar la respiración», porque ¿qué mejor modo hay de enfriar tus emociones «calientes», como la ira o la frustración, que sentir cómo sale aire fresco de tu boca?

LA RESPIRACIÓN 7-11

Reajustar la respiración con una práctica deliberada puede regular, cambiar y estabilizar la energía y el estado de ánimo. Otra práctica breve, agradable y fácil de recordar es «La respiración 7-11». La aprendí en una formación en el Proyecto Mindfulness en las Escuelas, y desde entonces he leído que quienes practican los primeros auxilios la usan para mantenerse en calma, y también que otros se mantengan en calma, durante las emergencias. Decirles a tus amigos escépticos que siempre te desafían que incluso los fornidos y curtidos bomberos y conductores de ambulancia utilizan esta práctica respiratoria podría convencerlos para que la usen.

Las directrices son sencillas:

Inspira contando hasta siete.
Espira contando hasta once.

«La respiración 7-11» puede hacerse con cinco respiraciones seguidas cuando los niños la están aprendiendo y luego ir aumentando ese número, dependiendo del tiempo que se tenga. Esto requiere un poco más de práctica que «La respiración de la sopa», para llevar la cuenta adecuadamente; así pues, démosles una oportunidad a los niños para que la aprendan. El hecho de contar también obliga a los niños (y a los adultos) a centrarse más y calmarse –antes de conocer algunas de estas prácticas, sugería respirar profundamente y conseguía que los niños respirasen de manera realmente profunda, pero también demasiado rápida–. A menudo, lo que queremos decir es respirar lentamente, no respirar profundamente. Hacer la espiración más larga que la inspiración relaja el sistema nervioso y nos permite establecer contacto con el presente cuando, de otro modo, podríamos estar corriendo y alejándonos de este.

Y lo opuesto también es cierto: hacer la inspiración más larga que la espiración estimula el sistema nervioso y lo acelera. En situaciones en que te sientas con la energía baja –cuando te encuentres agotado, indolente o un poco deprimido y quieras aumentar tu energía para estar en el momento presente–, prueba una «La respiración 11-7»: la proporción opuesta.

Mi amiga Adria Kennedy, que enseña *mindfulness* a niños, adapta esta práctica para los más pequeños pidiéndoles

que inspiren y espiren las palabras y las frases. Por ejemplo, intenta inspirar durante lo que dura la palabra *mañana* y espirar con la palabra *Valladolid*, o inspira *tres* y espira *dinosaurio*.

EL SUSPIRO SILENCIOSO

Un suspiro puede significar muchas cosas –alivio, exasperación, placer, agotamiento, incluso tristeza–. Fisiológicamente, suspirar regula y restaura nuestra frecuencia respiratoria. Los niños y los adultos suspiran inconscientemente, y podemos ofender a otros, sin querer, cuando lo hacemos. «El suspiro silencioso» es una manera deliberada y respetuosa de suspirar. Lo aprendí de Irene McHenry, educadora y miembro de la junta directiva de la Red de Mindfulness en la Educación.

Esta práctica nos permite liberarnos del exceso de emoción y reajustar nuestro cuerpo y nuestra respiración. Por eso, puede ser excelente para volver al presente durante momentos de transición.

Haz una inspiración profunda. Luego deja salir un suspiro tan lenta y silenciosamente como te sea posible, de manera que nadie sepa siquiera que lo estás haciendo. Sigue atento a todas las sensaciones de tu cuerpo, al mismo tiempo que espiras el último volumen de aire que quede en tus pulmones. Luego, observa cómo se sienten tu mente y tu cuerpo. Decide si necesitas otro suspiro silencioso o si prefieres volver a tu respiración normal.

A mí me gusta empezar invitando a los niños a que suspiren de forma bien audible para demostrar cómo se sienten dejando salir sus emociones en un suspiro (y para divertirnos). Luego cambio «El suspiro silencioso» y les explico que hay situaciones en las que puede que sea más apropiado que un suspiro habitual, como en una clase o cuando no queremos ofender a la gente suspirando ante ellos.

RESPIRAR CON TODOS NUESTROS SENTIDOS

Utilizar nuestros sentidos a menudo es el modo más rápido de volver a estar presente y ser consciente de lo que hacemos. En la práctica de respirar conscientemente, utilizamos todos nuestros sentidos para llevar la conciencia a nuestra respiración.

Al hacer las siguientes respiraciones, utiliza todos tus sentidos para darte cuenta de que estás respirando.

En la primera respiración, ¿a qué se parece el sonido de la respiración?

En la respiración siguiente ¿cómo la sientes?

Al respirar de nuevo, ¿cómo huele el aire de la respiración?

Al respirar una vez más, ¿cómo sabe el aire de la respiración?

Finalmente, ¿qué aspecto tiene la respiración?

Si miras de cerca la última respiración, podrías darte cuenta de cómo cambian cada vez tu mente y tu cuerpo, aunque sea ligeramente, con la inspiración y la espiración. O puedes ver qué aspecto tiene la respiración imaginando qué se siente cuando el aire desciende al vientre.

Sigue respirando a través de tus sentidos hasta que lo hayas repetido tres veces.

LA RESPIRACIÓN DE LOS CINCO DEDOS

Aprendí esta práctica en una formación del Proyecto Mindfulness en las Escuelas, y muy pronto se convirtió en una de mis favoritas tanto en el ámbito personal como en el profesional, para calmarse. Otra práctica de regulación de la respiración utiliza el tacto, contar y respirar como anclas.

Levanta una mano, con los dedos abiertos y la palma delante de ti.
Que el dedo índice de tu otra mano descanse en la base del pulgar de la mano extendida.
Al tomar una inspiración lenta, mueve el dedo despacio subiendo por un lado del pulgar y cuenta «uno». Cuando llegues a la punta del pulgar, debes terminar la inspiración.
A partir de aquí, comienza la espiración y cuenta «dos» mientras bajas el dedo por el otro lado del pulgar.
Cuando el dedo llegue a la parte más baja entre el pulgar extendido y el índice, inspira de nuevo y sube por el lado del dedo índice extendido, mientras cuentas «tres».
Luego espira y baja por el otro lado de ese dedo, mientras cuentas «cuatro».
Sigue inspirando y espirando y recorriendo cada dedo de la mano extendida hasta que llegues a diez, en el momento en que desciendes por el dedo meñique.

Las variantes de esta práctica incluyen utilizar un cronómetro y contar cuántas respiraciones puedes hacer en un minuto. Los niños pueden también intercambiar sus manos para contar y observar las diferencias entre ellas.

LA RESPIRACIÓN DE LOS CUATRO CUADRANTES

«La respiración de los cuatro cuadrantes» es otro modo de regular o reajustar la respiración cuando ha perdido un ritmo natural, cómodo. Unas cuantas inspiraciones y espiraciones contando hasta cuatro permiten que vuelva a un ritmo regular. Los niños pueden mover las manos formando un cuadrado mientras cuentan cada respiración.

Inspira contando hasta cuatro.
Retén el aire contando hasta cuatro.
Espira contando hasta cuatro.
Al final de la espiración, mantente sin aire contando hasta cuatro.
Repítelo tres veces y luego permite que la respiración encuentre su propio ritmo.

Retener el aire puede producir ansiedad en algunos niños, de modo que «La respiración 7-11» o «La respiración de la sopa» puede que sea mejor para ellos que esta práctica. Haz aquello que funcione y en lo que os sintáis cómodos.

LA RESPIRACIÓN *METTA* (BONDAD AMOROSA)

Esta práctica quizás no sea ideal en una situación pública, pero para niños pequeños en un grupo o un solo niño puede ser divertida y hace que uno se sienta bien. Mi amigo Samu Sundquist y yo la descubrimos juntos mientras realizábamos un taller en Helsinki.

Sentado o de pie, con los brazos a los lados, haz una inspiración profunda.

En la espiración, extiende los brazos todo lo que puedas como si quisieras abrazar al mundo entero, acomodando dentro a todos los que puedas.
En la inspiración siguiente, cierra los brazos y abrázate a ti mismo de modo que cada mano llegue al hombro opuesto.
En la espiración siguiente, abre los brazos otra vez, abarcando y confortando al mundo entero.
Toma otra inspiración y cierra los brazos, abrazándote y confortándote a ti mismo.

Comienza con «La respiración Metta» cinco veces consecutivas y observa cómo te sientes después. La próxima vez que la practiques, puedes hacer más o menos respiraciones, según lo que necesites o el tiempo de que dispongas.

EL ESPACIO ENTRE

A veces centrarse en la propia respiración es un reto, o también puede provocar ansiedad. En esos casos, resulta útil ver que hay un espacio de quietud entre nuestras respiraciones –«el lugar silencioso y en calma», como lo llama mi amiga Amy Saltzman–. Intenta encontrar tu lugar de quietud entre las respiraciones, haciéndolo cinco veces.

Permítete respirar. Al hacerlo, halla los espacios de quietud en los que la inspiración se convierte en espiración y la espiración se convierte en inspiración. Descansa tu atención en esos espacios durante unas cuantas respiraciones.

EL ABRAZO DE LA MARIPOSA

Esta suave práctica de regulación emocional fue desarrollada para niños supervivientes de desastres naturales e imita el movimiento de las alas de la mariposa.

Busca una posición cómoda –sentado, de pie o tumbado. Ahora, simplemente abrázate a ti mismo, cruzando los brazos en el pecho, con cada mano en el hombro opuesto. Emplea unos instantes en golpearte o pellizcarte suavemente los hombros en un ritmo alternante –izquierdo, derecho; izquierdo, derecho...

EL ESCÁNER SENSORIAL

Uno de los modos más rápidos y mejores de volver al momento presente es a través de tus cinco sentidos.

Calma tu cuerpo, encuentra una postura cómoda, permanece quieto y cierra los ojos.

En primer lugar, percibe las sensaciones físicas. Un topo no puede ver, pero tiene un fuerte sentido del tacto, gracias al cual percibe las sensaciones y las vibraciones del entorno. Escanea los límites de tu cuerpo. Nota las sensaciones de la piel, como las producidas por la ropa o por el aire. Siente la parte interior de tu cuerpo, tus músculos, tus órganos, y date cuenta de lo que puedes percibir.

Ahora escucha los sonidos. Los oídos del ciervo están entre los más poderosos de todos los animales. ¿Puedes oír como un ciervo? ¿Puedes notar cualquier sonido en este mismo momento, cercano o lejano?

Luego cambia al olfato. Un perro, o un lobo, tiene un poderoso sentido del olfato que le da información acerca del mundo. Olfatea como un lobo. Al inspirar a través de la nariz, ¿qué olor percibes? Quizás comida que se está cocinando a cierta distancia, el olor del aire fresco o el perfume de alguien que se halla cerca.
Céntrate en el sentido del gusto. Se dice que el bagre tiene el sentido del gusto más desarrollado de todos los animales. Abre la boca un poco. ¿Puedes saborear el entorno? Después de cerrarla, ¿qué sabor queda en tu boca o en tu lengua?
Ahora abre los ojos. ¿Qué hay en tu campo visual en este mismo momento? Las águilas tienen ojos potentes que pueden enfocar para ver un animal pequeño desde muy alto. Y los animales pequeños ven todo su entorno para vigilar por si hay predadores. Mira si puedes tener en tu campo visual todo lo que te rodea, o simplemente céntrate en algo hermoso.
Bienvenido al aquí y al ahora.

En el ámbito oriental no hay cinco sentidos, sino seis. Puedes añadir a la práctica, si quieres, el sexto, la mente o el sentido del pensamiento. Una variante, que aprendí de Dawn Huebner, sugiere en primer lugar prestar atención a lo primero que percibas con cada sentido y luego percibir qué más hay en el trasfondo. Esto nos recuerda todo lo que está sucediendo más allá de lo que en un primer momento somos conscientes.

EL CONTACTO 3-2-1

Esta práctica constituye un complemento informal a «La práctica de asentarse», del capítulo 5.

Percibe tres lugares en los que tu cuerpo normalmente hace contacto con el mundo. Tus pies, tus piernas y tus brazos son los obvios, pero nota también cómo tu piel hace contacto con el aire o toca la textura de tus ropas.

Jennifer Cohen Harper enseña una variante que llama «La práctica del escritorio», en la que sientes los pies en el suelo, las piernas en la silla y los brazos sobre el escritorio o la mesa que tengas delante, presionando suavemente para sentirte más enraizado.

DESACELERAR

Mi amigo Mitch Abblett sugiere desacelerar nuestros cuerpos y nuestras mentes. Él hace esto entre los encuentros que tiene con las familias. Recuerda este proceso por sus iniciales BRAS.*

Baja los hombros.
Relaja los dedos y las manos.
Abre el pecho y el abdomen con una respiración.
Suaviza la cara y el cuerpo.

Me encanta la idea de *mindfulness* como simplemente desacelerar. Un amigo mío señalaba hace poco que elogiamos

---

* En la edición original en inglés el autor usa un juego de palabras con el acrónimo SLOW (*soften, lower, open, wilt*)

a los niños, y también nos elogiamos entre nosotros, lo deprisa que hacemos las cosas, pero ¿cuándo fue la última vez que alguien te felicitó por lo lentamente que hacías algo?

DETENERSE

Cuando trabajaba como terapeuta en drogadicción, mis colegas y yo recordábamos a la gente que atendiesen sus necesidades básicas con el fin de estar lo suficientemente fuertes para hacer frente a los estímulos y los impulsos que aparecen cuando estamos más vulnerables. Este rápido escaneado de nuestra experiencia emocional y física se resume con las iniciales CHES.*

Comprueba rápidamente si te sientes:

Cansado.

Hambriento.

Enfadado (y/o rabioso).

Solo.

Si te encuentras en alguno de estos estados, ¿qué puedes hacer para dar respuesta a tus propias necesidades y atenderte a ti mismo?

El cansancio, el hambre, la rabia y la soledad son algunas de las experiencias humanas más básicas; ¡de hecho, además del pañal mojado, estas son las razones por las que más probablemente llora un bebé! Los adultos no siempre somos muy diferentes en nuestras necesidades básicas.

* En la edición original en inglés el autor usa un juego de palabras con el acrónimo HALT (*hungry, angry, lonely, tired*).

PIENSA ANTES DE HABLAR

Muchos niños, y nosotros adultos también, luchan con su impulsividad al hablar –y en la era digital, en nuestros correos electrónicos, textos y mensajes instantáneos también–. He visto variantes de este útil acrónimo* en unos cuantos lugares, desde jardines de infancia hasta centros de meditación.

Antes de hablar, detente y pregúntate:

- ¿Es **ahora** el momento de decirlo? Y ¿es **necesario**?
- ¿Soy yo quien lo dice? O ¿está **inspirado**?
- ¿Lo que voy a decir es **verdadero**?
- ¿Es **amable** lo que voy a decir?
- ¿Va esto a ser **útil**?

BUSCAR LA QUIETUD

Cuando el mundo está dando vueltas dentro, puede ser útil buscar ejemplos de quietud en el exterior

Busca algo quieto en el mundo que te rodea –quizás un edificio, una roca, una estatua, la base de un árbol u otra cosa que no se mueva–. Que tu atención descanse allí y respira durante unos momentos hasta que puedas conectar esta calma externa con una calma interior.

MATICES DEL VERDE

Hace unos veranos estaba caminando alrededor de un lago en primavera y mirando el verde bosque que había al otro lado, cuando me di cuenta de que debe de haber docenas de

* En la edición original en inglés el autor usa un juego de palabras con el acrónimo THINK (*true, helpful, I, inspiring, now, necessary, kind*).

matices del verde. Me detuve un momento y comencé a contarlos, hasta que perdí la cuenta. Observar el verde de la vida en invierno, cuando el mundo parece sombrío, o en cualquier otro momento del año es un modo rápido de enraizarte y ser consciente de tu entorno.

Me gusta buscar el color verde porque para mí simboliza la vida pujante, pero puedes utilizar también otros colores. Desde que comparto esta práctica con otros, he aprendido que el ojo humano puede discernir más matices del verde que de cualquier otro color. Estaba sumido en esta práctica en un retiro, el verano pasado mientras hacíamos caminatas conscientes, y de pronto a partir del verde apareció ante mi vista un trébol de siete hojas. Nunca sabes lo que puedes descubrir cuando miras el mundo de maneras diferentes.

CAMBIAR NUESTRA EXPERIENCIA

El psiquiatra del desarrollo Daniel Siegel utiliza un sencillo acrónimo* para los cuatro pasos de una práctica de tomar conciencia de nuestra experiencia en el momento presente.[1]

Haz una respiración y date cuenta atentamente de lo que está ocurriendo en tu experiencia en el momento presente en cuanto a:

Pensamientos que tienen lugar en tu mente.
Sensaciones en el cuerpo.
Imágenes o películas en la mente.
Sentimientos y emociones.

---

* En la edición original en inglés el autor usa un juego de palabras con el acrónimo SIFT (*sensations, images, feelings, thoughts*).

Filtrar nuestra experiencia unas cuantas veces al día crea el hábito de percibir cuál es nuestra experiencia realmente en el momento presente, lo cual fortalece el músculo de la conciencia. También es útil pedirles a los niños que reflexionen después de una práctica: puedes preguntarles qué percibieron en esos cuatro ámbitos durante la práctica.

ESCANEA TU CUERPO

El acrónimo SCANS hace que esta práctica de mini escaneo del cuerpo sea fácil de recordar. SCANS representa el estómago, el pecho, el cuello y los hombros *(stomach, chest, arms, neck, shoulders)*, las partes del cuerpo que tienden a darnos más información acerca de nuestras emociones. Los niños pueden escribir «SCANS» como recordatorio en su carpeta, en su agenda o en cualquier otro lugar que vean a menudo.*

Observa tu **estómago**. ¿Está relajado, nervioso, tenso, agitado? ¿Llevas la respiración al estómago?

Comprueba tu **pecho**. ¿Está tenso o relajado? ¿Cómo son los latidos de tu corazón? ¿Llega la respiración al pecho?

Comprueba tus **brazos**. ¿Están tensos o relajados? ¿Tienes los puños cerrados o las manos reposan suavemente?

Comprueba tu **cuello**. ¿Sufres dolor muscular o se encuentra relajado?

Finalmente, comprueba tus **hombros**. ¿Están encorbados o descansando?

* En la edición original en inglés el autor usa un juego de palabras con el acrónimo SCANS (*stomach, chest, arms, neck, shoulders*), que resulta imposible de reproducir en castellano.

EL SENTIMIENTO AGOBIANTE

Esta práctica puede ser útil para tratar los sentimientos aterradores. Recuérdales a los niños que a veces llegan sentimientos horribles, pero que finalmente se marchan –que todos los sentimientos son transitorios–. Las iniciales OPS representa los tres pasos.*

Observa qué sentimientos hay en ti.
Permite que te visiten.
Después advierte cómo **se van**.

Hay una práctica parecida de Michele McDonald llamada RAIN (*recognize, allow, investigate* y *nonidentify*, traducido como reconocer, permitir, investigar, no-identificarse).

SENSACIÓN DE CUENTA ATRÁS

Esta práctica nos ayuda a centrar nuestra atención y calmar nuestros pensamientos antes de comenzar a trabajar o realizar una tarea que exige concentración.

Percibe la sensación en los límites de tu cuerpo, allí donde la piel se encuentra con el mundo.
Percibe una sensación en cualquier parte de tu cuerpo, justo debajo de tu piel.
Percibe una sensación en una profundidad de tu cuerpo todavía mayor.

* En la edición original en inglés el autor usa un juego de palabras con el acrónimo NAG (*notice, allow, go*).

CUENTA ATRÁS EN EL SONIDO

Hay otra práctica de escuchar (para recordar más prácticas de escuchar y del sonido, regresa al capítulo 8). Igual que «Sensación de cuenta atrás», nos puede ayudar a concentrarnos en la tarea que tengamos entre manos, sea en la clase, antes de los deberes o en cualquier otra cosa que requiera atención.

Percibe un sonido en el edificio en el que estés.
Percibe un sonido dentro del edificio.
Percibe un sonido dentro de la habitación
Percibe un sonido que aterrice y vibre sobre tu cuerpo.
Percibe un sonido dentro de tu cuerpo. Quizás el de tus pensamientos.

TELEOBJETIVO Y GRAN ANGULAR

He oído también llamar a esta práctica «Ojos de predador» y «Ojos de presa», que parece un poco terrible, pero quizás podría denominarse «Ojos de águila» y «Ojos de ratón». Piensa en qué imagen te funciona mejor a ti.

Durante unas cuantas respiraciones, céntrate en un solo objeto de tu entorno. Luego, expande tu campo de visión para abrazar todo tu entorno.
Cambia tu concentración entre el teleobjetivo y el gran angular después de unas cuantas respiraciones.
A partir de ahí, intenta llevar el *zoom* a tus pensamientos o emociones de tu mente y tu cuerpo.

Puedes realizar una variación de esta práctica con sonidos, centrándote en un sonido durante unas cuantas respiraciones; luego aleja el teleobjetivo para escuchar simultáneamente todo el paisaje de sonidos.

EL COLOR DETECTIVE

Teddy, uno de mis pacientes más mayores de la escuela primaria, llegó un día con esta práctica. Se ofreció voluntario para leerles a los niños de educación infantil de su escuela y ahora también comparte las prácticas de *mindfulness* con ellos.

Busca alrededor de la habitación cada uno de los colores del arco iris. Cuando veas uno de ellos, inspíralo y sigue buscando el siguiente.

VER CON OJOS DIFERENTES

La respiración y el cuerpo son grandes atajos para volver al ahora, pero podemos utilizar también nuestros ojos para hacernos presentes y aumentar la conciencia y la perspectiva. Estas tres breves prácticas visuales son buenas para niños de cualquier edad:

Ojos de samurái: mira atentamente toda la habitación e intenta memorizar cómo es cada objeto. Cierra los ojos e intenta reconstruir lo que has visto mediante una imagen mental. Cuando los abras de nuevo, comprueba hasta qué punto se parecían.

Ojos de niño: mira alrededor de la habitación con ojos nuevos y mente de principiante, aunque sea un lugar que conozcas bien. Sigue mirando hasta que veas algo que nunca antes habías percibido.

Ojos de artista: mira alrededor de la habitación y date cuenta de los objetos que hay en ella. Luego, deja de centrarte en los objetos y en lugar de ello sé consciente del espacio que hay en torno a ellos –el espacio negativo, como los artistas lo llaman.

SIMPLEMENTE SÉ X 3

Esta es una adaptación de una práctica más breve a partir del libro de Elisha Goldstein, del 2015, titulado *Uncovering Happiness*.[2] Cada par de líneas anima a simplemente ser, utilizando las iniciales IE.*

Inspira.
Expande tu cuerpo.
Inspira.
Expande tu mente.
Inspira.
Expande tu visión.

BUENOS DESEOS

Esta es una sencilla práctica de bondad amorosa que ofrece deseos bondadosos tanto a nosotros mismos como a las personas que forman parte de nuestro mundo (para más información sobre la bondad amorosa, o *metta*, consulta el capítulo 13). Algunos niños pueden encontrar difícil tener un deseo hacia alguien que no conocen, así que

* En la edición original en inglés el autor usa un juego de palabras con el acrónimo BE (*breathe, expand*).

quizás un deseo para todo el mundo podría funcionar mejor para ellos.

Ten un deseo bondadoso para ti mismo.
Ten un deseo bondadoso para un amigo o un miembro de tu familia.
Ten un deseo bondadoso para alguien que no conoces muy bien.
Y si te sientes cómodo o valiente, ten un deseo bondadoso para alguien que no te cae muy bien o que te molesta.

VIVIR CONSCIENTE: HACER DE LA VIDA MISMA EL ANCLA DE LA MEDITACIÓN

La práctica espiritual no es solo sentarse y meditar.
La práctica consiste en mirar, pensar, tocar, beber, comer y hablar.
Cada acto, cada respiración y cada paso pueden ser parte de la práctica.
Y pueden ayudarnos a llegar a ser más nosotros mismos.

Thich Nhat Hanh,
Nuestro verdadero hogar:
el camino hacia la tierra pura

El trabajo de integrar *mindfulness* en la vida es doble: en primer lugar, podemos buscar momentos del día o claves para recordarnos nuestra voluntad de realizar prácticas breves. En segundo lugar, podemos llevar la conciencia atenta a las actividades que ya estamos realizando, incluyendo jugar, trabajar, movernos e interactuar con otros, utilizando prácticas breves como la llamada «¿Cómo lo sé?», que se encuentra en el capítulo 3. También podemos utilizar las «cuatro R» en lo que estemos haciendo: **reposar** nuestra atención en la tarea, **reconocer** adónde y cuándo vaga, y suavemente hacer que

retorne a la tarea, **repitiendo** el proceso. Integrar *mindfulness* en nuestras vidas es la manera de avanzar hacia convertir la vida misma en el ancla de la meditación.

¿Cuántas veces nosotros o nuestros hijos funcionamos con el piloto automático? Como adultos, ¿estamos con el piloto automático o somos conscientes de nuestras acciones y nuestras palabras? ¿Podemos enseñarles a nuestros hijos a estar más plenamente presentes, integrando *mindfulness* no solo en la terapia o el aula, sino también en el arte y la expresión creativa, en la escritura, el movimiento, los deportes y otras partes de la vida diaria?

Cuando estamos plenamente presentes en todo lo que hacemos, somos más felices. Recuerda el estudio descrito en el capítulo 2 que halló que lo que hacemos es la mitad de importante para nuestra felicidad que si nos centramos en ello. Podemos mantener nuestra concentración cultivando *mindfulness*, pero también podemos eliminar distracciones y dejar de realizar ciertas actividades que no sean necesarias.

Para los niños, llevar *mindfulness* a la vida cotidiana podría consistir en permanecer un poco más en silencio, hacer las cosas un poco más lentamente y acometer una sola tarea cada vez, aplicando todo ello a las rutinas diarias. Además de revisar las ideas dadas a lo largo de la parte II, puedes leer también mi libro anterior, *Child's Mind*, donde muestro una lista de cien actividades para que los niños las realicen conscientemente. O, mejor todavía, confecciona tu propia lista.

Una de las alegrías de una integración más profunda de *mindfulness* y de un vivir más consciente es que los niños y los adultos comienzan a *aculturarse* en *mindfulness* a través de la experiencia compartida. Podemos compartir intuiciones y frustraciones comunes que surgen de la práctica. Este tipo de experiencia lleva a un lenguaje común que podemos usar para hablar sobre *mindfulness*: «siéntate con eso», «permite que surja y pase» y «dejar caer» o «dejar anclar». Podemos verificar nuestro estado los unos con los otros preguntando: «¿Qué tiempo hace en tu mente esta mañana? ¿Cuál es la previsión?» o cualquier metáfora y lenguaje que se haya ido estableciendo y fluya en tu familia o tu comunidad. Este vocabulario compartido refuerza e inspira la práctica de todos.

En última instancia, la intención es vivir de manera verdaderamente consciente. Pero no muchos niños –de hecho, no la mayoría de ellos– llegarán a eso, como tampoco lo harán muchos adultos. En mi primera época, años grandiosos, imaginaba que todos con quienes trabajaba estaban aprendiendo a vivir una vida perfectamente consciente. Desde entonces, he revisado mis objetivos e intentado sacar a mi ego de la ecuación. Me olvido de lograr esa meta en el mundo de la vida diaria, aunque no dejo de aspirar a ella. De todos modos, podemos tener como objetivo enseñar a otros a tener una práctica de *mindfulness* formal e informal plenamente integrada, incluso si nosotros, como instructores, todavía tenemos que lograr realizar plenamente esa práctica. Igual que la iluminación o la santidad en las tradiciones espirituales, vivir de manera verdaderamente consciente puede ser una estrella del norte hacia la que navegar, aunque no necesariamente la alcancemos.

En el mejor de los casos, tanto nosotros como nuestros hijos podremos vivir de este modo a veces, utilizando *mindfulness* para ver una situación con claridad y lidiar con ella de manera hábil. Unos días podemos estar más cerca de esto que otros, y la autocompasión nos ayudará en todo ello. Idealmente, los niños pueden utilizar *mindfulness* no solo para observar su experiencia y elegir acciones sabias, sino que también tendrán la opción de emplearlo como la acción sabia o hábil. Ahí es donde vemos la transformación. Conscientes de su contexto y sintiendo las emociones que se originan en su cuerpo, pueden ver las opciones que aparecen ante ellos: «¿Bebo o me alejo de ello», «¿Respiro y voy más allá de mis miedos, siendo capaz de salir a escena, o abandono?», «¿Realizo una acción positiva y quizás utilizo *mindfulness*, o hago una elección que más tarde lamentaré?».

Parte III

Compartir Mindfulness en un entorno formal

CAPÍTULO

12

Consejos para enseñar *mindfulness*

Es enseñando como aprendemos, narrando como observamos, afirmando como nos examinamos, mostrando como miramos, escribiendo como pensamos, bombeando como introducimos agua en el pozo.

Henri-Frédéric Amiel,
Amiel's Journal, 1882,
traducido al inglés por Mary A. Ward

Al compartir *mindfulness* y la compasión con los niños, encontramos retos, igual que recompensas. No existe «un tamaño que les venga bien a todos», cuando se trata de enseñar. Este capítulo se ocupa de aquello que es fundamental para enseñar *mindfulness* a niños, recopilado a partir de mi propia experiencia y de mis conversaciones con colegas destacados. Incluyo no solo consejos para generar interés y hacerlo atractivo, sino también técnicas para facilitar el diálogo después de una práctica. Esta información será útil ya sea que les estés enseñando a tus propios hijos o trabajando con niños como profesional.

En nuestra vida interpretamos muchos papeles en relación con los niños: padres, maestros, terapeutas, amigos y otros más. Yo fui maestro durante unos años antes de ser psicólogo, y ahora también soy padre. Cada rol le ha dado forma a mi modo de pensar sobre *mindfulness* y sobre compartir *mindfulness* con niños. Probablemente los niños pasan más tiempo en la escuela que en cualquier otro lugar; así pues, los educadores tienen una oportunidad única para introducir a los niños en *mindfulness*. Históricamente, los monasterios, tanto en Oriente como en Occidente, fueron los centros de aprendizaje; la oración y la meditación enseñaban a la gente a concentrarse de manera efectiva, a aprender más eficazmente y a pensar de un modo más creativo. Volver a llevar *mindfulness* a los espacios de aprendizaje parece que tiene sentido.

Si eres terapeuta, tienes oportunidades únicas para integrar *mindfulness* en tu trabajo con niños. Se ha demostrado una y otra vez que es útil en los casos de salud mental y otros conflictos, y tú dispones de sesiones individuales estructuradas en las que enseñarlo y practicarlo. *Mindfulness* puede ayudarte si eres enfermera o médico y trabajas con niños. La evidencia muestra que te ayuda a estar más concentrado y a ser más empático y efectivo, y también ayuda a que tus pacientes se recuperen más rápida y plenamente.

Si tienes hijos, tienes cantidad de oportunidades para llevar *mindfulness* y compasión a todo lo que haces con ellos, durante toda su vida. Los niños pequeños suelen estar más abiertos que los escépticos adolescentes, quienes puede que no quieran oírte hablar de ello. Afortunadamente, otros instructores adultos pueden compartir prácticas de *mindfulness* con ellos. Si su práctica echa raíces, tal vez te encuentres con que tus hijos, cuando sean un poco más mayores, querrán compartir la práctica contigo, como yo hago ahora con mis padres.

Mantener nuestra propia práctica muchas veces supone un reto, pero el desafío resulta especialmente agudo cuando estamos intentando compartirla con otros. Tradicionalmente, la práctica está sostenida por tres elementos: una enseñanza sólida, una motivación interna y el apoyo de la comunidad. En el budismo, estos elementos se describen como las tres joyas: el *dharma*, el Buda y la *sangha*. Estos tres elementos hacen posible que la práctica crezca y mejore con el tiempo. Cuando compartimos *mindfulness* con nuestros hijos, una buena enseñanza, una comunidad de apoyo y las técnicas adecuadas tienen que encajar con sus necesidades y despertar su curiosidad y su motivación intrínsecas. Hallar este punto óptimo puede parecer alquimia, pero las mejores prácticas que se pueden enseñar, que compartiré contigo en este capítulo, te ayudarán a conseguirlo.

CÓMO APOYAR LA PRÁCTICA EN DESARROLLO DE LOS NIÑOS

Es útil tener en cuenta los siguientes pasos y prioridades mientras apoyamos la práctica de *mindfulness* de los niños:

- Cultivar **tu propia práctica**.
- Crear una **comunidad** que apoye nuestra práctica y la de ellos, o unirse a una comunidad ya existente.
- Empezar con una **instrucción formal**, enseñando a los niños y guiándolos en las prácticas, así como practicando con ellos.

- Compartir **prácticas informales** para integrar *mindfulness* en la vida cotidiana.
- Llevar la atención plena a las actividades habituales.

LA PRÁCTICA DE ENSEÑAR

Muchos queremos compartir *mindfulness* con los más jóvenes porque hemos experimentado sus beneficios nosotros mismos. Probablemente hemos experimentado también los retos de llevar lo que hemos aprendido en nuestros cojines de meditación a nuestras vidas diarias. Un desafío todavía mayor es traducir esa sabiduría en enseñanzas para niños, de manera que puedan aprender y crecer a partir de nuestra práctica y de la suya y llevar la sabiduría a sus juegos, sus familias, sus compañeros y sus vecinos.

A muchos de nosotros, pasar de practicar a enseñar *mindfulness* nos parece un gran paso. Puede resultar extraño, tras años de lo que para la mayoría de la gente es una práctica muy personal, empezar a compartirla con otros. Puede que surjan sentimientos de inseguridad y dudas: «No sirvo para esto», «¿Quién soy yo para enseñar esto?», «¡No soy Thich Nhat Hanh!», «Se reirán de mí», «¡Meteré la pata!». Esto es cierto especialmente si lo compartimos con adolescentes, cuya inseguridad, vergüenza, tendencia a juzgarse y escepticismo pueden ser contagiosos (pero rara vez resulta fatal). Si tienes tales sentimientos, no eres el único: las dudas son comunes cuando estamos empezando e incluso después de estar enseñando durante un tiempo. Si tienes dudas acerca de tu capacidad para guiar una práctica de *mindfulness*, coméntalo con tu propio maestro o instructor de meditación. Y si *no* tienes dudas y te sientes fantásticamente seguro, en ese caso *definitivamente* coméntalo con alguien. Buscar a alguien que te guíe no es debilidad. Al pedir apoyo cuando lo necesitamos, estamos ejemplificando la humildad para nuestros hijos, al mismo tiempo que demostramos nuestra independencia.

La intención de este libro es ayudarte a plantar las semillas de *mindfulness* en los niños, lo cual en muchas ocasiones significa simplemente ofrecer la experiencia de los elementos básicos de *mindfulness* –contacto con el momento presente, conciencia y concentración, así como aceptación y no juicio– o compartir lo que Susan Kaiser Greenland llama «el nuevo ABC»: atención, equilibrio (*balance*) y compasión. Cuando hemos hecho eso, hemos realizado nuestro trabajo y cumplido nuestras intenciones, ya sea que florezca en las vidas de los niños una práctica formal o no.

EMPEZAR CON MENTE DE PRINCIPIANTE

Acércate a la enseñanza con la actitud de una mente de principiante, tanto respecto a ti mismo como al entorno y a los niños. Si puedes, abandona las concepciones previas y las expectativas. Si eres un padre o madre que espera un combate (o incluso un arquear las cejas por parte de tu hijo), un maestro que ha oído algunas habladurías acerca de los niños o un terapeuta que acaba de leer un dosier enorme antes de quedar con el niño, intenta acercarte a ellos con el corazón y la mente abiertos. Si puedes mostrarte de esa manera, los niños se sentirán seguros y responderán del mismo modo. Si acudes con una idea predeterminada de cómo irán las cosas, los niños responderán de manera similar, con sus mentes y sus corazones cerrados. Y si puedes ver a los niños con la mente de principiante, la perspectiva tiene una oportunidad de ampliarse.

Un ritual o una práctica que realices antes de enseñar te ayudarán a encontrar tu mente de principiante. Quizás pronunciar algunas frases suaves de autocompasión, buscar un modo de aquietarte o hacer un esfuerzo para clarificar un espacio mental, física y emocionalmente.

Quizás seas padre, madre, abuelo o abuela, acaso seas terapeuta o maestro, o puede que desempeñes un papel totalmente diferente en la vida del niño al que quieres introducir en *mindfulness*. Resulta fácil para nosotros, como adultos, olvidar cómo se siente uno siendo niño, ¡a pesar de que todos hemos compartido la experiencia! Si puedes, de manera cómoda, reconectar con los aspectos positivos de tu propia infancia, serás capaz de conectar de manera más efectiva y auténtica con los niños a los que quieres enseñar.

DIRIGIR LAS PRÁCTICAS

Ya estés dirigiendo las prácticas en tu salón, en la clase o en el consultorio; ya estés trabajando con la conciencia de la respiración o con la expresión creativa, o ya sea que estés con alegres niños del parvulario o con jóvenes presidiarios, la intención es la misma: llegar a ellos y ofrecerles una experiencia positiva de *mindfulness*.

Comenzar con prácticas que resuenen contigo aumentará las probabilidades de que resuenen con los niños. Crear juntos un objetivo –quizás practicando durante diez respiraciones o diez minutos– puede inspirarlos y motivarlos. Cuanto más claros seamos con las instrucciones, más fácil será seguir y más seguros y cómodos se sentirán.

Para algunos niños, desacelerar con *mindfulness* puede ser un alivio; para otros, puede resultar extraño e incómodo, y a otros les puede provocar inseguridad. Decir «vamos a sentarnos tranquilamente con nuestros pensamientos» puede sonar aburrido, ambiguo o incluso temible, dependiendo del niño. El silencio tiene distintos significados en diferentes contextos y culturas. En terapia, a menudo implica un espacio sanador, pero en la escuela o en las familias, puede indicar peligro, dificultades o soledad. Por otra parte, instrucciones como «vamos a sentarnos durante un minuto simplemente a escuchar todos los sonidos que podamos oír y luego vamos a comentar lo que hemos percibido» pueden ser claras e incluyentes. Comenzar con una práctica concreta como escuchar los sonidos, más que empezar con una práctica abstracta como darse cuenta de los pensamientos, es un modo de hacer que los niños sientan que tienen éxito y mantengan su motivación. Las definiciones de *mindfulness* –y hay muchas variantes para niños– tendrían que ser claras y concisas. Una buena regla general es que la definición debería ser lo suficientemente sencilla para que el niño pueda explicársela a los miembros de su familia o a sus amigos.

Puede que necesites aflojar tu apego a lo que la meditación es para ti. Para los niños, la meditación podría no implicar ojos cerrados, espalda recta o pies en el suelo –posiciones que pueden sentir como incómodas o inseguras, o tener diferentes significados en otras culturas–. Pedirles a los niños que cierren los ojos o los dejen entrecerrados ayuda a reducir las distracciones, así como la conciencia de sí, pero una vez más, se trata de conocer a los niños con los que trabajas; algunos pueden encontrarlo incómodo.

La duración de la meditación también va a ser diferente. La duración adecuada es aquella que los niños pueden tolerar hasta que comienzan a inquietarse... y un poquito más. Las meditaciones sentado, más largas, a menudo son más fáciles cuando estamos en una postura determinada, pero más que explicar el modo correcto o incorrecto de sentarse, yo solo digo: «La mejor postura es la que puedes mantener durante un rato sin sentirte incómodo o empezar a dormirte. Para mí, eso es sentarse correctamente». La postura se convierte en una invitación, más que ser una orden, lo cual es algo fundamentalmente diferente de lo que la mayoría de los niños tienen en la escuela y en casa. Más que decir «sentarse más tiempo es mejor», yo invito a los niños a sentarse más diciendo «sentarse durante períodos más largos o más a menudo significa más oportunidades de darse cuenta de tus pensamientos».

Tu actitud flexible, pero de apoyo, se aleja de la dicotomía predecible de lo correcto y lo incorrecto en la que muchos niños viven. Simplemente ayuda a abandonar tu propio apego a lo que la meditación *debería* ser. Estas ideas preconcebidas proceden de tradiciones culturales que quizás no sintonicen con las de los niños con los que estás trabajando. Más que llegar con un programa rígido y esperar que ellos se adapten, es mejor adaptarnos, nosotros y nuestras prácticas, para encajar con sus mentes, sus cuerpos y sus espíritus.

Cuando sea posible, practica con los niños. Puede que realicen la práctica o no, pero de todos modos, tú les estás enseñando en ese momento, con tu presencia, a estar plenamente presentes durante el tiempo que estáis juntos. Aunque no siempre cierro los ojos cuando dirijo una meditación, lo encuentro útil para ejemplificar una postura consciente y, siguiendo un guion, puedo ver lo que está funcionando en el lenguaje. Practicar juntos demuestra que no les estás pidiendo a los niños que hagan algo que tú no harías –que también es diferente de la dinámica con la figura de autoridad a la que muchos niños están acostumbrados–. Desde luego, es difícil hablar con chocolate en la boca durante una «meditación en el comer», y algunos momentos de una práctica en movimiento podrían cansarte. En esos casos, haz todo lo que puedas mientras estás dirigiendo.

Recuerda que, cuando estás comenzando, la intención es simplemente introducir la conciencia atenta y preparar a los niños para una experiencia positiva. Si puedes lograr que sea así en unos cuantos niños, considera que tu trabajo ha sido un éxito. A mí me gusta poner la intención de que una persona experimentará cierto despertar de la conciencia y la práctica le ayudará; de ese modo, generalmente puedo considerar que se ha producido un resultado excelente. Incluso en los niños que ponen los ojos en blanco puedes plantar semillas que quizás con el tiempo broten, aunque no sea en tu horizonte o ¡ni siquiera en tu vida! Ser conscientes de nuestros egos es fundamental. Lo único que podemos hacer es crear las condiciones para *mindfulness*: si nos preocupamos demasiado del «éxito» o el «fracaso» de las mentes jóvenes que están aprendiendo, no estamos ejemplificando el cuidado de nosotros mismos ni la visión correcta de la situación.

CONSEJOS PARA DIRIGIR PRÁCTICAS GUIADAS

He aquí algunas maneras de evitar los pasos erróneos que a menudo cometen los guías nuevos cuando dirigen prácticas, especialmente meditaciones guiadas:

Velocidad: hablar demasiado rápidamente es un error común, pero hablar demasiado lentamente puede hacer que tu audiencia se duerma. Sigue el ritmo de tu respiración.
Volumen: asegúrate de que hablas en un volumen lo suficientemente alto. Si estás demasiado relajado o hablas demasiado suavemente, quienes estén en las últimas filas puede que no te oigan.
Tono: un tono calmado, seguro y asertivo es ideal. Cuidado con no sonar hipnótico o solemne.
Palabras: si las palabras del guion de una práctica no resuenan en ti, improvisa otras que encajen más contigo y con los niños.

CREAR UN ESPACIO CONTEMPLATIVO

En algún momento puedes hallarte enseñando en el espacio de otra persona. En ese caso, recuerda que eres un invitado y que tienes que ser respetuoso. Da las gracias y pregunta siempre antes de reordenar algo. Si no has preparado el espacio tú mismo, utiliza el que ya hay.

Si estás en una escuela y la conoces bien, puedes establecer relaciones entre *mindfulness* y otras asignaturas que los niños estudien, comentándolo antes con los profesores.

¿Pueden extraerse las metáforas del mapa astronómico que hay en la pared? ¿Puedes vincular la información sobre *mindfulness* del cuerpo a un modelo anatómico del laboratorio de ciencias? Utilizar el material de quienes te han invitado a su espacio tiene la ventaja añadida de congraciarte con ellos. Una sala vacía puede funcionar como su propia metáfora: la sala puede vaciarse para resistir la destrucción; nosotros vaciamos nuestras mentes para no dañarnos con pensamientos destructivos. Trabajar con lo que hay en ese momento crea la importante habilidad de la improvisación creativa. Y así ejemplificamos también la práctica de aceptar lo que hay y darle sentido a nuestro entorno.

Si puedes, pon recordatorios de *mindfulness* en el espacio donde tu grupo se reúne regularmente, o incluso por todo el edificio. Asegúrate de que tu encuentro esté siempre anunciado en la escuela, el hospital o el calendario de la clínica donde realices tu trabajo.

Si la persona cuyo espacio estás utilizando está presente, invítale a participar. No te limites a aliarte con los otros adultos; empodéralos para que asistan e incluso dirijan la práctica. Vuelve atrás y pregunta en cada momento. La confianza en ti mismo y tu coherencia crean una sensación de seguridad tanto para los niños como para los adultos. Incluso si declinan la invitación, sigue preguntando. En tu práctica personal, no abandonas la primera vez que tu mente vaga y te quedas con tus pensamientos caóticos. Así pues, no abandones la primera vez que un adulto se aleje y te deje con su caótica clase.

Hacer que tu espacio sea sagrado constituye una parte importante al trabajar en una institución, aunque también supone un reto. Actualmente, soy afortunado y tengo mi propio espacio para enseñar, pero no siempre ha sido así. Cuando trabajaba en escuelas de zonas marginales, hacía terapia casi en cualquier parte, incluyendo detrás del escenario del auditorio, un almacén, el rellano de una escalera y –no, no estoy bromeando– un cuarto de baño que había sido convertido en almacén. Los maestros, los conserjes y otros niños interrumpían frecuentemente nuestras sesiones. Eso no desanimaba a mis colegas, que hacían que brillasen estos espacios terapéuticos, que de otro modo habrían sido aburridos, pintándolos y decorándolos con el fin de convertirlos en sagrados para todo el mundo. Haz lo que puedas con cualquier espacio del que dispongas.

Si tienes tu propio espacio, intenta convertirlo en sagrado, o al menos especial. El mío lo lleno con objetos que simbolizan personas y sucesos importantes de mi vida. Recuerdos de mis lugares favoritos, muebles de la familia y libros que aprecio me rodean. Tras recorrer con la mirada la alfombra de mis abuelos, llego a ver las fotos de mis viajes en la pared, enmarcando la silla de mi paciente, y veo también los libros de mis maestros favoritos junto a objetos que me recuerdan a mis mentores. Puedes darle vida a un espacio con citas inspiradoras o con poemas, aportados por ti o por otras personas. Para ofrecerles a los niños con los que trabajas un sentido de propiedad, pídeles que traigan objetos que les recuerden *mindfulness* y los coloquen allí.

Incluso en tu propio espacio puede haber limitaciones. Quizás lo más que puedas hacer es crear un rincón *mindfulness*. Si ni siquiera eso es posible, una fotografía, un póster, una campana o unos trazos de pintura pueden ser tu ancla y recordaros e inspiraros a ti y a todo el que entre en tu espacio o pase por él.

Si estás enseñando a un grupo, podrías querer fijarte en cómo están sentados los niños. Hay todo un abanico de opiniones respecto a si es mejor que se sienten en círculo o en filas; para mí, esto es una cuestión de conocer a los niños. ¿Empieza el grupo a hacer tonterías y a quitarse el sitio los unos a los otros o son respetuosos y capaces de entrar en diálogo? ¿Se sentirán más avergonzados en círculo o más seguros si permanecen todos a la vista de los demás?

Si estás en una institución o en una escuela, ¿cuál es la cultura en la que se enmarca? Conviene conocer a los otros adultos y cultivar aliados y fuentes. Conocer la dinámica del grupo es fundamental, así que pregunta a algunos miembros del personal acerca de su pulso emocional o consigue que haya alguien contigo que conozca su dinámica relacional. Ellos pueden decirte quién debería o no debería sentarse cerca de quién, sea como apoyo o por seguridad.

Ten en cuenta si hay algún momento del día, o un contexto, en el que los niños estén más abiertos a nuevas ideas y tengan un período de atención duradero. Encontrarse regularmente, un día concreto y a la misma hora, y a ser posible cuando los corazones y las mentes es más probable que estén abiertos, hará que la experiencia resulte más predecible y segura para ellos.

CUANDO ENCUENTRAS RESISTENCIA

Encontrar resistencia, activa o pasiva, es duro. La clave, como en nuestra propia práctica de *mindfulness*, es no tomársela como algo personal. Los mejores maestros del mundo no pueden llegar perfectamente a todos los estudiantes. De modo que ten calma con los niños y contigo mismo.

Algunas formas de resistencia son informativas. Quedarse dormido es algo común entre los principiantes, y a menudo bromeo diciendo: «Hemos practicado solo cinco minutos, y ya habéis aprendido algo –¡que necesitáis dormir más!–. ¿Cómo podéis descansar todo lo que necesitéis?». Las risitas son también algo común, y puedes llevar la atención a ellas como sonidos o como reacción a las experiencias nuevas. Yo sonrío en reconocimiento, pero también con una cara seria –una mirada que muchos padres y maestros han dominado–. Los niños pueden exagerar el sonido de su respiración o un cierto movimiento. A veces hacen el tonto, pero en algunas ocasiones, la exageración hace que sea más fácil para ellos centrarse en el ancla elegida, de modo que piensa en cuál es la mejor manera de responder.

Si un niño realmente se resiste a una práctica determinada, puede que haya una buena razón y que una práctica distinta sea mejor. Algunos luchan para quedarse quietos en la silla, de modo que pedirles que desempeñen otro papel durante una práctica puede ser útil. Tal vez no parezca muy intuitivo ofrecerle al niño revoltoso la oportunidad de ser quien haga sonar la campana o quien cronometre, pero puede ser una buena solución para que no alborote.

Recuerda que aunque la resistencia puede ser frustrante, así es como crecemos. Un colega señalaba que los bebés aprenden a andar resistiéndose a la gravedad y descubriendo cómo encontrar el equilibrio. La resistencia te ofrece una oportunidad de aprender y hacer algo de manera diferente la próxima vez. Recuerda también que cuanto más cultives la claridad mental en tu propia práctica, más capaz serás de responder con habilidad a un niño que se resiste, en lugar de agobiarte excesivamente.

Cuando termines una práctica un poco más larga, comprueba si alguien se ha deslizado hacia el sueño y necesita una señal más directa para volver. Por ejemplo, si tienes a los niños concentrados en un ancla interna, como la respiración, puedes animarlos a llevar su conciencia al exterior, al cuerpo en su conjunto o a la sala. Si están centrados en uno de los cinco sentidos, pídeles que sintonicen con el resto de los sentidos, de uno en uno, que muevan los dedos o que sigan el sonido de la campanita hasta que desaparezca; luego, diles que abran los ojos. Yo también les recuerdo a los niños que están construyendo un camino al que pueden volver para evocar cómo se sentían en la práctica, en cualquier momento del día, a través de la respiración, el sonido, el cuerpo o cualquiera de las anclas que acaben de utilizar.

Si la resistencia llega a ser excesivamente descorazonadora, o ves que rozas el agotamiento, retrocede uno o dos pasos, acude a tu comunidad para lograr apoyo, o coméntalo con tu propio maestro y profundiza tu práctica.

DESPUÉS DE LA PRÁCTICA: DIRIGIR EL DEBATE

La indagación y la reflexión después de una práctica pueden ayudar a que los niños descubran cómo *mindfulness* resulta útil en sus vidas. Permitirles que descubran los beneficios por sí mismos, más que decirles cuáles son esos beneficios, es un ejemplo de enseñar mostrando más que diciendo, y gracias a ello pueden hacer de *mindfulness* algo suyo.

Podemos animarlos a que exploren ciertas comprensiones relatando su práctica y comentando su experiencia con adultos y con compañeros. Esto ayuda a que apliquen sus intuiciones al día a día, haciendo conexiones entre el mundo real y los momentos y modos en que usan *mindfulness*.

El tipo de preguntas que hagamos y la dirección en la que emprendamos un debate pueden depender de nuestro rol: terapeuta, padre, madre o maestro. Recuerda que toda experiencia es válida, y podemos reafirmar la experiencia del niño –positiva, negativa o neutra– independientemente de si creemos que una práctica «ha funcionado» o no. Cuanto más aceptemos a los niños y su experiencia, más abiertos estarán, con nosotros y entre sí. Una curiosidad abierta, conectada y compasiva es la mejor manera de ayudar a que se sientan escuchados y útiles.

Procesar lo vivido, sea a través de preguntas concretas, de un debate abierto ode un momento tranquilo de escritura o dibujo, ayudará a que los niños sinteticen su experiencia e interioricen lo que han comprendido en la práctica. También los empodera ofreciéndoles voz. Si les cuesta expresarse en voz alta, puedes animarlos a pensar, dibujar, moverse o escribir. Mi colaboradora y coinstructora Joan Klagsbrun dice: «Me gustaría escuchar qué os ha parecido la experiencia mediante un sonido, unas palabras, unas imágenes, el movimiento, alguna sensación o como sea que queráis expresarlo». En un grupo, podemos pedirles que escuchen a los demás y luego reflexionen sobre lo que han escuchado, dándoles a todos la oportunidad de expresarse.

Un debate en grupo puede que no sea lo mejor para todos los niños, así que puedes dividirlos en grupos pequeños o parejas, para reflexionar. Piensa en qué forma deberían tomar esos momentos de compartir y de diálogo –un debate abierto, un debate moderado o quizás un debate en el que se hable de uno en uno: el que porte un palo o una piedra tiene la palabra durante el tiempo que hayáis acordado.

Evita las preguntas directivas, pero anima el debate. A unos les gustará una práctica determinada y a otros no, pero probablemente al principio todos se quedarán en silencio. Los principiantes en la práctica de *mindfulness* tienden a sentirse inseguros y podrían preguntar: «¿Lo estaba haciendo bien?». Recuérdales que no hay bien y mal y normaliza su experiencia. Este tipo de preguntas son muy útiles: «¿Quién más ha sentido que su mente vagaba de un lado para otro?» o «¿Alguien se ha preguntado si lo estaba haciendo bien? Es muy frecuente». Puedes establecer el tono compartiendo experiencias habituales entre los principiantes, quizás incluso tus propias experiencias como principiante.

Preguntarles a los niños más pequeños acerca de su experiencia es difícil, porque desde el punto de vista del desarrollo, generalmente no se encuentran cómodos con las preguntas abiertas. Aunque podemos preguntar cuestiones concretas de manera abierta. En lugar de la clásica expresión entre los terapeutas: «¿cómo te has sentido?», podríamos preguntar: ««cómo te has sentido en tu cuerpo y en tu mente?» o «¿Qué has notado? ¿Has percibido algo diferente en tu manera de comer (o de respirar o de andar)? ¿Qué te ha sorprendido? ¿Habías sentido antes algo parecido? ¿Cómo afecta a tu experiencia el hecho de prestar atención a algo de un modo determinado? ¿Qué es lo que más te gustó?». No temas preguntar: «¿Qué hay que no te haya gustado?»

o «¿Hay alguien a quien esto le haya parecido odioso?». Si algún niño espontáneo afirma que se ha aburrido o que la práctica le ha desagradado, pídele que describa más profundamente esa sensación: «¿Cómo sabías que estabas aburrido? ¿Qué era el aburrimiento –una sensación en tu cuerpo o pensamientos en tu mente? Al sentir eso, ¿qué deseabas hacer en lugar de seguir con la práctica?».

Las reflexiones de los niños pueden ofrecernos mucha información. Los terapeutas medio bromean diciendo que todo es diagnóstico. Bueno, lo es y no lo es, pero todo, ciertamente, es útil. Cuando los niños dicen que creen estar haciendo mal la práctica, eso abre la puerta a una conversación sobre cómo nos juzgamos a nosotros mismos y de dónde proceden esa presión y esas voces.

Nos dice también algo acerca de cómo se sienten consigo mismos. Cuando mencionan que les gusta o les disgusta, estamos aprendiendo cómo gestionan la incomodidad o el placer en ese momento. En el debate, podemos relacionar el microcosmos de la práctica con el modo como se enfrentan a las situaciones más generales, en la vida real.

Nuestro trabajo incluye proporcionar un *feedback* positivo y elogiar lo realizado, y ambas cosas tienen más fuerza si se realizan inmediatamente después de una práctica. Podemos agradecer a los niños por estar abiertos y crear y compartir un espacio de silencio. Cuando descubras que están atentos y son compasivos en sus vidas diarias, dale un nombre a esa actitud, llama la atención hacia ella y refuérzala.

Puedes seguir preguntándoles cuándo utilizaron su *mindfulness* durante el día anterior o durante la última semana. Este apoyo conductual y este refuerzo positivo son mucho más efectivos para cambiar y reforzar la conducta que el criticismo o la culpa. Cambiar la proporción de críticas y de elogios no es algo que nos resulte fácil y natural a todos, y cuanto más estresados estamos, más probable es que insistamos en lo negativo, en lugar de elogiar lo positivo. Esa es una razón más para renovar tu propia práctica: para que puedas ser lo suficientemente consciente como para reconocer lo que está funcionando bien. Puedes también animar a los niños a enseñar *mindfulness* a sus amigos y a su familia. Al final de una sesión de terapia, por ejemplo, generalmente llamo al padre o a la madre y le pido al niño que le enseñe lo que hicimos ese día.

COMPARTIR A PARTIR DE TU PROPIA EXPERIENCIA

Buena parte del planteamiento respecto a cómo conseguir que los niños se abran tiene que ver con cuánto queremos abrirnos nosotros. Sam Himelstein habla a menudo sobre el hábil autodescubrimiento como facilitador de *mindfulness*. Queremos estimular la curiosidad natural de los niños, pero puede que pregunten sobre cuestiones personales que no sabemos cuál es la mejor manera de responder. Nuestra propia comodidad y nuestro rol con respecto a ellos dictarán lo que sea apropiado compartir. Si es tu hijo, probablemente compartirás mucho. Los maestros compartirán menos. Y muchos terapeutas están formados para no desvelar nada sobre ellos mismos. ¿Dónde está el equilibrio entre tu papel en la vida del niño, tu comodidad personal y su seguridad y su comodidad? Puede que lo sepas antes de enseñar, o puedes sorprenderte de lo rápidamente que se aprietan tus botones y revelas información personal sin que te percates de ello.

Las preguntas que hay que tener en cuenta cuando desvelamos información sobre nosotros mismos incluyen las siguientes: «¿Cuál es mi intención al compartir esto?», «¿Lo que voy a decir es lo que más les conviene a estos niños?», «¿Compartir esto tiene más que ver *conmigo* o con *ellos*?», «¿Estoy proyectando algo en ellos?» o «¿Cuáles son las consecuencias potenciales, a corto y a largo plazo, de compartir esto?».

Me he dado cuenta de que comparto más en un grupo o una escuela que como terapeuta individual, pero como terapeuta comparto lo suficiente como para que los niños sepan que soy humano y que he luchado con esas prácticas, igual que me he beneficiado con ellas. Ilustrar una cierta comodidad con tus propias imperfecciones les ofrece a los niños una valiosa lección, pero eso no quiere decir que seamos autodespreciativos. Los niños aprenden de nuestra conducta, así como de nuestras palabras; no queremos poner ejemplos rebajándonos a nosotros mismos.

Al fin y al cabo, no se trata de ti y de tu experiencia –se trata de su experiencia–. Lo más importante es tener una idea sobre qué límites son cómodos y apropiados para ti.

UNA NOTA SOBRE LOS TRAUMAS Y LOS NIÑOS VULNERABLES

En el caso de algunos niños, la práctica de *mindfulness* puede hacer que emerja mucho material agradable, pero también material temible. Esto sucede también cuando se establece una relación estrecha entre maestro y estudiante.

La buena noticia es que este emerger de material psíquico es un signo de que probablemente algo estás haciendo bien. Aun así, puede resultar insostenible para los dos, especialmente si no estás trabajando con tus propios hijos o si no estás formado en salud mental o en traumas psicológicos. Conoce y reconoce tus límites y los límites de tu formación. Si eres maestro, no intentes ser terapeuta, y viceversa; si eres terapeuta, no practiques fuera de los límites de tu formación o tu comodidad. Busca ayuda, apoyo y supervisión cuando las cosas se pongan difíciles. Has de ser consciente siempre de tus límites personales y profesionales, y conoce también tus obligaciones éticas y legales cuando se trata de informar de órdenes judiciales si un niño comparte algo referente a malos tratos o abandono. No intentes manejar situaciones difíciles por ti mismo y nunca prometas mantener un secreto, si no puedes hacerlo.

Si estás enseñando a niños que no son tuyos, especialmente si son vulnerables, el apoyo de una comunidad y la estrecha colaboración con otros profesionales es fundamental. Busca todo lo que puedas sobre aquello que desencadene el recuerdo en los niños y a quién puedes consultar si sus problemas están más allá de tu alcance. *Mindfulness* puede dar pie a reacciones intensas: por eso funciona y por eso también puede ser peligroso. Como sucede con las medicinas, la dosis correcta es sanadora, pero abrirse demasiado y demasiado rápidamente puede ser duro en el caso de niños vulnerables. Has de saber lo que estás haciendo, conocer a los niños y conocer tus apoyos profesionales tanto como puedas.

Se ha dicho que el crecimiento sucede solo fuera de la zona de confort. Creo que es más exacto decir que el crecimiento ocurre en el área entre la zona de confort y la zona de seguridad. Así pues, necesitamos identificar ambas zonas tanto para nosotros como para los niños.

Al final, ningún libro, ningún taller ni programa certificado puede ofrecer el consejo perfecto para cada momento de crisis en tu vida y en la vida de los niños con los que trabajas. Ningún currículo ni técnica te salvará. Como dice Vinny Ferraro, del programa Escuelas Conscientes: «El currículo está muy por debajo de lo que tú tienes que ofrecer». El mejor recurso en un momento difícil eres tú: tu sabiduría y tu compasión –que estará más disponible para ti si tú mismo practicas.

CAPÍTULO

13

La comunidad iluminada

Creando una cultura de *mindfulness*

Este es el verdadero secreto de la vida –estar completamente comprometido con lo que estás haciendo aquí y ahora–. Y en lugar de llamarlo trabajo, date cuenta de que es juego.

Alan Watts,
The Essence of Alan Watts

Igual que muchas personas, puede que te sientas inspirado a crear una cultura más amplia de *mindfulness* en tu lugar de trabajo, tu familia o una comunidad más grande.

Como te dije antes, Thich Nhat Hanh sugiere que enseñar *mindfulness* a niños es como plantar semillas. Si seguimos con esta metáfora, podemos pensar en las familias como la tierra, las escuelas como la luz del sol y otras instituciones y adultos como el agua de la lluvia y el abono que crearán las condiciones bajo las cuales la práctica de *mindfulness* es más probable que germine y florezca –no podemos estar seguros de que florezca en todo su esplendor, pero sí de que sin todos estos elementos se marchitará.

Un grupo grande que cultiva una cultura de *mindfulness* es lo que los budistas llaman *sangha*. Tener una comunidad de práctica apoya a los niños, a los adultos y a ti. Una comunidad fuerte crea una cultura contemplativa que se refuerza a sí misma y que permite que la práctica de todos y cada uno mejore. Puede adoptar muchas formas, especialmente en nuestra sociedad cada vez más secular, en la que las instituciones espirituales son cada vez menos el centro de la comunidad. En su lugar, una familia, una clase, una escuela, una clínica, una congregación, un estudio de yoga, un centro comunitario o algo más amplio, a menudo se convierte en el centro principal de la comunidad. Este grupo es el contenedor que sostiene y permite que la práctica de *mindfulness* florezca en los niños, apoyándolos durante los tiempos difíciles, como un ecosistema nutre la vida individual.

Cuando defendemos el cambio en las escuelas de nuestros hijos o en otras instituciones, hay oportunidades únicas, pero también formas únicas de resistencia. Ningún enfoque creará mágicamente una comunidad consciente y compasiva, del mismo modo que ninguna práctica funcionará para todos los niños por igual.

La intención de este capítulo es ofrecerte algunas de las mejores prácticas para llevar *mindfulness* a tu comunidad, y está extraído de las experiencias de padres y profesionales que han estado haciendo el trabajo de crear ecosistemas conscientes y compasivos durante años.

CONSIDERACIONES

Al comenzar cualquier esfuerzo conscientemente, es útil tener en cuenta primero nuestras intenciones. ¿Son realistas, aunque entrañen dificultades? Otras preguntas pueden ayudarnos a reflexionar y encontrar un modo de acción sabio.

Ten presente el papel que desempeñas en la institución con la que quieres trabajar. ¿Eres un asesor externo (un papel en el que a menudo me he encontrado) o estás dentro de la institución, como administrador o como empleado? ¿Eres un progenitor en una pequeña familia o un empleado en un hospital grande o en la escuela de un distrito?

¿Qué relación tienes con los niños? ¿Eres madre, médico, educador...?

¿Estás pensando en un enfoque de arriba abajo, en el que un programa de *mindfulness* llega con una orden desde el líder, o un enfoque desde las bases, como comenzar un pequeño grupo de compañeros que piensan de manera parecida y desarrollar *mindfulness* a partir de ahí? ¿Estás utilizando un programa o improvisando? ¿Estás planeando llevarlo tú solo o reclutar colegas o profesionales externos? ¿Quiénes son tus aliados potenciales, y cuáles son sus diferentes niveles de conocimiento, experiencia, interés y escepticismo sobre *mindfulness*?

¿Cuándo y cómo se enseñará la práctica: cada mañana, tal vez antes de comer? ¿Habrá una introducción en una asamblea de toda la escuela? ¿A través de una terapia de grupo? ¿La práctica se integrará en todas las clases, como un componente en la clase sobre la salud o en un programa después de las horas lectivas? En una escuela con pruebas de alto rendimiento, el mejor modo de introducir *mindfulness* puede que sea integrarlo en la preparación de los exámenes, cuando unos momentos de *mindfulness* antes de un examen pueden aumentar sustancialmente las calificaciones.

ENTRAR POR LA PUERTA Y LOGRAR CONVENCER

Acercarse a una institución con el ofrecimiento de introducir *mindfulness* en ella, generalmente es un camino cuesta arriba. Las instituciones públicas suelen tener trámites burocráticos importantes y desconfían de quienes vienen de fuera, demás de que cualquier organización que trabaje con niños tiene dispositivos de seguridad por razones lógicas: salvaguardar a los niños. Con las escuelas, probablemente es mejor que te inviten que tener que ofrecer tus servicios, a menos que tengas un hijo en ese centro educativo o que seas un educador experimentado. Ahora bien, instituciones como bibliotecas, cárceles juveniles, centros comunitarios, programas escolares en horas no lectivas o comunidades espirituales locales pueden estar interesadas en ofrecer programas gratuitos para jóvenes. Mis amigos de Wellness Works, una organización de *mindfulness* de Pensilvania, han tenido éxito al ofrecer servicios a los niños más difíciles (o quizás con más dificultades). Otro amigo comenzó como voluntario en la escuela de sus hijos, pasó luego a la biblioteca del barrio y a partir de ahí las cosas comenzaron a crecer. Cuando la comunidad ve los resultados, casi seguro que serás invitado otra vez.

Implicar a los conserjes constituye un reto. Los expertos en persuasión saben que hay dos caminos: uno a través de la cabeza y otro a través del corazón. Necesitas tener no solo argumentos intelectuales y emocionales para defender *mindfulness*, sino también experienciales: puede que intuitivamente sepas ya por qué *mindfulness* es importante, pero la investigación y la teoría que te he ofrecido en este libro están ahí en parte para que puedas usarlas para convencer a otros adultos. Tu comprensión puede dispersar los mitos al comunicar el poder de estas prácticas, con el fin de abrir las mentes, los corazones y las puertas.

La palabra *mindfulness* está de moda ahora, y aunque sabemos que la atención plena funciona con cualquier nombre, también sabemos que todo cambia y pasa de moda. Llamarlo *mindfulness* puede realmente darles a las prácticas un tiempo de caducidad más breve del que nos gustaría, de modo que elige tus palabras con cuidado. Términos como *atención* o *entrenamiento de la conciencia*, *resiliencia*, *concentración*, *momentos óptimos*, *mejora* u *optimización* puede que sean preferibles.

La mayoría de las iniciativas efectivas comienzan con un taller para orientar a los padres, los educadores, el personal y otros implicados antes de empezar a trabajar con los niños. Los adultos necesitarán algo más que estadísticas, imágenes del cerebro escaneado y detalles sobre los programas de *mindfulness* para jóvenes, aunque esto sea útil. Cuanto más específico puedas ser sobre los beneficios –en términos de salud física y salud mental, que son muy caras, así como sobre las calificaciones, los comportamientos, el agotamiento (en el personal y en los niños), la rotación del personal o cualesquiera términos que sean relevantes para la organización–, mejor. Un estudio reciente halló que el mejor modo de reducir limitaciones en un programa residencial era formar al personal en reducción del estrés a través de *mindfulness*.[1]

Más importante que los argumentos intelectuales o emocionales es una experiencia de *mindfulness* directa y potente, que le permita a la gente entenderlo a nivel visceral. Como Maya Angelou decía: «He aprendido que la gente olvidará lo que digas, la gente olvidará lo que hagas, pero nunca olvidará cómo hiciste que se sintieran». *Mindfulness* y la compasión *hacen sentirse bien*. La introducción más breve que utilizo es el ejercicio sobre el estrés en cuatro partes, descrito en el capítulo 1. Esto a menudo es suficiente para convencer a los adultos escépticos del valor de *mindfulness*, especialmente si preguntas cómo les gustaría que sus hijos se sintieran antes de los exámenes de selectividad o cuando están renegociando la hora de irse a la cama. Las demostraciones también reducen la ansiedad acerca de si *mindfulness* es religioso de un modo u otro. Vuelve a pensar en lo que encendió *tu* interés. ¿Fue leer sobre las investigaciones, experimentar *mindfulness* por ti mismo o ambas cosas?

Cuanto más lo capte la gente, intelectual o intuitivamente, más interesado estará el resto del personal de la familia, la escuela, la clínica o el hospital, y más probable será que veas florecer la conciencia *mindfulness* en el rico abono del refuerzo de la comunidad. Ofrecer primero un programa al personal de una organización es un modo excelente de crear un fundamento. Esto puede implicar proponer un cierto liderazgo en los departamentos de recursos humanos (muchos de los cuales ya están en el barco de *mindfulness*), en los sindicatos o en el departamento de riesgos laborales de la empresa –todos ellos pueden ahorrar dinero en el cuidado de la salud y reducir los gastos que proceden de los múltiples casos de estrés laboral–. Financiarlo puede resultarte difícil, y parte de tu papel puede ser buscar modos creativos de recaudar fondos. Pero a la larga se ahorra dinero cuando mejora el desempeño y la felicidad del personal. Muchos programas existentes llevan *mindfulness* a los profesionales para que velen por sí mismos; algunos se dirigen específicamente a maestros y terapeutas. La asociación progenitor-maestro podría contribuir a recaudar fondos para cursos o talleres de *mindfulness* para progenitores y educadores juntos –un proyecto en el que he estado trabajando en una red local de hospitales–. La mayoría de los modelos terapéuticos y educacionales que enseñan *mindfulness* a niños proponen que practiquen los adultos. Practicar *mindfulness* para ellos mismos puede hacer que los maestros, terapeutas, proveedores y cuidadores sean más felices y mejores en sus roles/trabajos. Independientemente de que compartan sus prácticas con los niños, gozarán de los frutos que estas les ofrecen. Y cuando puedes orientar al personal o a los padres hacia lo que estás haciendo, todos hablaréis un lenguaje común a partir de una experiencia común.

Propón que todos los miembros de la comunidad participen de algún modo en *mindfulness*, sea en una charla inicial o en un grupo con continuidad. Tenlos en cuenta a todos –no solo a los niños y al personal de una institución, sino también a los padres y alumnos de las escuelas, las juntas de los hospitales, los colectivos del barrio y los donantes privados– y ofréceles también una experiencia de *mindfulness*. El equipo directivo de los centros educativos e incluso los políticos locales a menudo pueden, al menos, seguirte la corriente, como descubrí cuando mi amiga Vanessa me arrastró al Parlamento para enseñarles unas cuantas prácticas a los representantes de nuestro estado. Los padres y los donantes de algunas comunidades pueden ser sorprendentemente generosos una vez comprenden y experimentan *mindfulness* por sí mismos. Un amigo mío obtuvo una donación de seis cifras de un padre de su escuela que asistió a un curso de *mindfulness* para padres. Y no te olvides de las guarderías cuando ofrezcas un programa para padres.

También puedes crear un rincón de recursos sobre *mindfulness* o incluso una estantería en algún lugar de la organización. Un colega tiene una caja de juguetes y otros objetos que pueden usarse para las prácticas, CD y libros sobre *mindfulness*, cojines y esterillas de yoga, así como carpetas de actividades que cualquiera puede encontrar fácilmente y utilizar en su puesto de trabajo. Igual que una caja con recursos, también resulta útil para una organización tener una persona *mindfulness* a quien recurrir para cualquier pregunta y como recordatorio humano para la comunidad.

Dónde comenzar a crear un cambio de cultura es una cuestión difícil de responder. La mayoría de la gente que ha tenido éxito coincide en decir que los enfoques de arriba abajo despiertan más resistencias que los que parten de las bases. Solo en instituciones de menor tamaño –como escuelas concertadas e independientes o clínicas pequeñas– u organizaciones con líderes carismáticos es posible a la larga este cambio de arriba abajo.

Mejor empezar contigo mismo y unos cuantos padres y colegas interesados y a partir de ahí crecer. Toda organización cuenta con líderes formales y líderes de opinión, que tienen poder de diferentes maneras. Un amigo que trabaja en la Harvard Business School lo expresa así: «Los líderes formales son aquellos que escriben las memorias y las políticas; los líderes de opinión son aquellos a quienes vas y les preguntas: "¿Qué pacto hay en la memoria respecto a esta nueva política?". Los líderes de opinión son aquellas personas a las que quieres influir para crear un verdadero cambio, a las que quieres inspirar con la práctica contemplativa. Estas son las personas que crean la cultura que no viene desde arriba. La sabiduría de los expertos sugiere que los mejores líderes escuchan bien y se consideran servidores de la comunidad más que sus dueños.

Las intervenciones en el lugar de trabajo incluyen proponer (u ofrecer) *mindfulness* a tus compañeros, al resto del personal o a los padres. Podéis comenzar un grupo de meditación semanal, encontraros durante los descansos o después de las horas de trabajo una vez a la semana o quizás tener alguna comida consciente de vez en cuando. A partir de aquí, piensa en la posibilidad de crear un grupo de trabajo *mindfulness*, un grupo de estudio o un grupo de práctica con los miembros interesados de la comunidad. Si te encuentras en una posición de liderazgo, abre y cierra los encuentros de personal con prácticas breves semanales para integrar *mindfulness*. Educa a los trabajadores manteniendo un servicio interno de formación en *mindfulness* o pagando para que los empleados reciban formación externa. Muchas comunidades realizan lecturas en reuniones de la comunidad para anclar el año en un tema específico; piensa en la posibilidad de sugerir un libro sobre *mindfulness*. Comparte recursos organizando talleres, charlas y grupos de estudio abiertos a toda la comunidad, incluyendo padres, maestros, pediatras y otros implicados. Algunos de mis colegas han comenzado a trabajar en un hospital de la zona para llevar un día de *mindfulness* a todo el personal, así como a todos aquellos a quienes el personal sirve, en unos cuantos eventos al año.

Una persona a la que conocí hace poco en Finlandia comenzó lo que básicamente es un día de *mindfulness* en su pequeña ciudad. Lo llama «Día de hacer una sola cosa a la vez, y es una jornada dedicada a practicar aspectos de *mindfulness*. Winooski, en Vermont, está intentando convertirse en la primera ciudad *mindful*. Sin duda alguna, tú puedes pensar en más enfoques, a pequeña o a gran escala. En mis conversaciones con gente de todo el mundo veo cómo ha florecido a partir solo de una pareja de individuos interesados que se encuentran, se sientan juntos, trabajan juntos y permiten que su práctica se propague a su alrededor.

El capítulo 11 analiza momentos conscientes con mayor profundidad; las prácticas de ese capítulo pueden tenerse a mano para conectar con otros adultos. Los adultos, incluso en las familias e instituciones más ocupadas *sí* tienen momentos aquí y allá en los que pueden establecer contacto consigo mismos, si lo buscan. Hace veinte años, trabajadores estresados hallaron momentos para respirar deliberadamente en forma de descanso para fumar un cigarrillo. Ayuda a los colegas para que encuentren momentos de paz en su atareado día –justo cuando los niños se han ido a la clase siguiente, una pausa de un minuto entre pacientes o cualquier otro espacio breve durante el día–. Del mismo modo que pequeños detalles pueden sumarse y agobiarnos, también pequeños momentos conscientes pueden sumarse y equilibrarnos.

Ya sea que tu organización enseñe explícitamente *mindfulness* a los niños o no, los beneficios en los adultos afectarán a todos. Si todo esto fracasa y la resistencia sigue, las prácticas de compasión hacia las personas de tu lugar de trabajo pueden inspirarte, y también puedes refugiarte en tu comunidad de *mindfulness*, tu propio maestro o tu propia práctica.

TRABAJAR CON LA RESISTENCIA INSTITUCIONAL

Acercarte a los compañeros de trabajo o a los supervisores como alguien ajeno a ellos puede estar lejos de ser fácil, y quizás encuentres resistencia. Recientemente escuché a Vinny Ferraro preguntar a una multitud de entusiastas maestros si podrían reconocer la diferencia entre resistencia y ambivalencia. Es una pregunta que merece que la observes en tu propia práctica, y apunta una vez más a la necesidad de tener una sólida práctica propia, así como un aliado o dos.

La resistencia se basa generalmente en el miedo, especialmente el miedo a lo desconocido. La resistencia *institucional* a menudo surge en forma de miedo legítimo a los verdaderos límites de tiempo y de dinero. Añadir tiempo para *mindfulness* es simple aritmética, ya que probablemente significa quitar tiempo a los maestros o al personal, lo que afecta potencialmente a las pruebas u otras importantes mediciones de resultados. Afortunadamente, la evidencia muestra de manera apabullante el ahorro económico a largo plazo debido a los beneficios en la salud del personal y en la mejora en los resultados de los niños. Cuando el tiempo es dinero, pedirles a los líderes que dediquen tiempo a *mindfulness* en el caso de médicos o maestros atareados, no es fácil, pero puedes mostrar también que con prácticas breves *mindfulness* no tiene que ocupar mucho tiempo.

Una forma insidiosa de resistencia procede del personal estresado, y puede ser especialmente difícil de contrarrestar si eres ajeno a la empresa o si desempeñas un papel directivo. Este personal puede ser comprensiblemente escéptico respecto a la formación anual que ofrece el servicio interno a la empresa en «la próxima idea fantástica». Puedes indicar que *mindfulness* es algo *antiguo*, que está convirtiéndose en una práctica normal en la educación y en la sanación y que la organización corre el riesgo de perder el barco al que se están subiendo las instituciones pioneras. Este puede ser el enfoque más motivador para abrir mentes, puertas y presupuestos. Pero recuerda que cada vez que lanzamos un desafío al statu quo, la gente puede tomárselo personalmente, así que conseguir aliados es fundamental. Si respetamos la sabiduría y la experiencia de los demás, pronto tendremos aliados. Si desafiamos o tratamos con altanería a la gente, perderemos potenciales compañeros.

Hace más de veinte años, en el mundo de la psicoterapia, las prácticas de *mindfulness* eran consideradas marginales; ahora es algo totalmente normal. Dejar de recomendar *mindfulness* para la ansiedad o la depresión se considera no estar en sintonía con la mejor práctica. La mayoría de las escuelas de graduados en psicoterapia ofrecen formación en esta práctica para psicólogos clínicos, y se hallan entre los cursos más populares. Puede que lo mismo pronto sea cierto para las facultades de medicina, de enfermería, de pedagogía e instituciones similares.

En el mundo de la psicoterapia infantil, hay un dicho que afirma que trabajar con niños significa trabajar con familias y sistemas más grandes y sus respectivas limitaciones. Familias frustrantes, encargados de los servicios sociales con exceso de trabajo, personal estresado –estos son obstáculos inevitables al trabajar con jóvenes–. Para muchos, y yo me incluyo, esto es lo que resulta más difícil. Los niños con los que trabajé en los suburbios eran menos problemáticos que los adultos que los rodeaban, cuya resistencia era contagiosa.

No solo la escuela misma era intimidante, con detectores de metales en la puerta y barrotes en las ventanas, sino que un cinismo corrosivo impregnaba al personal, y yo temía tener que tratar con todo ello.

En cierta ocasión, agotado la tarde de un viernes, me dejé caer en el diván de mi supervisor. Seguramente pensaría que yo estaba desesperado, ya que me quejaba del personal obstruccionista que encontraba semana tras semana, mientras intentaba hacer algo para ayudar a los niños. Él se recostó y toleró todos los sapos y culebras que salían de mi boca durante unos momentos, antes de decirme con energía:

—Estamos allí para trabajar con los niños. Se nos ha contratado para eso, y probablemente eso es lo que firmaste –explicó. Después se movió en su asiento y continuó–: Pero, en realidad, esos niños están inmersos en el mundo de los adultos que los rodean, inmersos en el sistema. Así pues, ¿qué tal si en lugar de intentar tratar a los niños y luchar contra el sistema, incluyes en tu trabajo no solo a los niños, sino a todo el sistema en el que están inmersos y los ves solo como un síntoma de este sistema enfermo más grande?

Esa compleja respuesta no era exactamente lo que yo quería oír ese deprimente viernes de invierno, pero me hizo pensar. Asentí en agradecimiento y con alivio. Finalmente me dio la impresión de que ya lo tenía. Eran esos *otros* adultos los que se interponían en el camino.

Con el tiempo, la respuesta de mi supervisor se ha convertido en un lema siempre que pienso en la justicia social en un marco más amplio. Todavía hoy no siempre sé *cómo* tratar el sistema, pero lo que dijo me ayuda a abordar mi trabajo de ese modo más amplio.

Al continuar la conversación con él, hablamos sobre los miembros del personal más frustrantes y recordamos que también ellos fueron una vez niños y novatos. Comentamos el estrés bajo el que se encontraban y el hecho de que la mayoría de ellos probablemente habían comenzado siendo optimistas, si no idealistas, confiando en que podrían. Con el tiempo, y con unos cuantos días como el que yo había tenido, habían caído en la amargura. Mi propio rastrero cinismo era una señal de alarma que indicaba que algo tenía que cambiar –probablemente mi propia práctica–. Años después, lo que me sucedió es que la única resistencia sobre la que podía hacer algo era la mía propia.

De modo que quizás también tú desees preguntarte: «¿Suposiciones de quién?», «¿Resistencias de quién?» o «¿Quién está sufriendo con esta resistencia?».

Más o menos al mismo tiempo, mi cuerpo me estaba haciendo saber que comenzaba a estar agotado. El dolor de estómago y el exceso de sueño se apoderaban de mí las mañanas que tenía que ir a una escuela en particular. No hay que ser un brillante terapeuta para ver la relación, pero yo era inconsciente de ello hasta que reflexioné con mis colegas y mis mentores. Profundicé en mi práctica y fui a un curso de *metta* (bondad amorosa) en el centro de meditación de la zona. Mi cuerpo comenzó a sanarse, mi corazón volvió a abrirse y mi reacción ante la escuela cambió. Hay un dicho que afirma que la resistencia al dolor es lo mismo que el sufrimiento. Luchar contra la resistencia puede llevarte a un mayor sufrimiento. Pero yo ofrezco también otra fórmula: la compasión en tiempos de resistencia depende de la comprensión –comprensión respecto a cuál es la mejor manera de gestionar la resistencia.

LA PRÁCTICA DE METTA

Piensa en la posibilidad de realizar la práctica de *metta* si tu cuerpo, tu mente y tu espíritu (o quizás tu pareja, tus amigos y tus compañeros de trabajo) no dejan de indicarte que te estás agotando.

Metta se desarrolló especialmente para tratar el miedo. El Buda había mandado a sus discípulos a la selva, pero volvieron por miedo a practicar solos, allí donde merodeaban animales salvajes y bandidos peligrosos. Probablemente ni tú ni yo estamos en las selvas de la India, sosteniéndole la mirada a los tigres, pero quizás estés sosteniéndole la mirada a algunos estudiantes difíciles o a algunos miembros del personal con el que trabajas en tu selva particular, y el miedo y la frustración hayan zarandeado la fe en ti mismo y en tu práctica. La mayoría de las tradiciones espirituales tienen alguna versión de una oración para los enemigos, o para enviarles buenos deseos. *Metta* es una variante de eso.

El proceso es simple. Comienza buscando una postura de meditación cómoda. Puede venirte bien colocar una mano, o las dos, sobre el corazón, pero no es necesario.

Comienza trayendo a tu mente a alguien que solo quiere lo mejor para ti. Llamaremos a esta persona tu benefactor. Quizás sea un supervisor que te resulte inspirador, un antiguo profesor u otro mentor. Tal vez sea alguien que encendió la pasión por tu trabajo cuando eras joven. Acaso sea quien te presentó por primera vez la meditación o un camino espiritual o quien te inspiró para establecer un puente entre tu pasión personal y tu pasión profesional.

Ahora, siente buenos deseos hacia esa persona –algo así como: «Que seas feliz, que te sientas seguro, que vivas en paz».

Después de unos días de hacer esto en tu meditación diaria, intenta adoptar su perspectiva e imagina que ella te envía tales deseos a ti. O simplemente siente esos buenos deseos para ti mismo.

Observa que no estás diciendo que eres feliz, estás seguro o vives en paz. Pero estás, como un buen amigo, deseando descubrirlo y experimentarlo.

Si esas frases específicas no les hablan a tu corazón y a tu experiencia, busca algunas que sientas que son más auténticas para ti e imagina que las escuchas decir a tu benefactor. ¿Qué palabras podría pronunciar para inspirarte? Quizás: «Mereces tener inspiración», «Que encuentres felicidad y amor», «Que no tengas miedo en tu trabajo de ayudar a los demás» o «Que estés firme y seguro en tu mente y tu cuerpo».

Emplea una semana de tu práctica meditativa diaria con esos buenos deseos para ti mismo, quizás viéndote a ti mismo desde la perspectiva de esta otra persona sabia. Para muchos de nosotros, tener buenos deseos para nosotros mismos puede hacer que nos sintamos incómodos, especialmente si no estamos acostumbrados a recibir gratitud y deseos amables para nosotros y para la gente que nos rodea. Pero síguelo a rajatabla.

Después de una semana, añade un colega a quien sientes que es relativamente fácil enviar tal tipo de deseos, quizás alguien que estimule tus aspectos positivos, más

que tu cinismo o tu frustración. Intenta integrar esto en tu práctica diaria durante una semana aproximadamente.
La semana siguiente, trata de llevar a tu práctica *metta* a una persona hacia la que no tengas sentimientos, ni positivos ni negativos. Quizás esa secretaria que ves a menudo pero con la que rara vez interactúas o un conserje con el que no hablas demasiado.
La semana siguiente, empieza sintiendo buenos deseos hacia las personas más difíciles de tu lugar de trabajo: un padre problemático, un administrativo duro quizás incluso un niño conflictivo en el que no puedes dejar de pensar.

Enviar buenos deseos a las personas difíciles no es algo sencillo, de modo que empieza poco a poco y ábrete camino hacia ellas. En una ocasión oí decir a Moah Levine: «Esto constituye un duro levantamiento de pesas espiritual. ¡Por eso comenzamos con pesas pequeñas en la vida y luego pasamos a otras más grandes!». Si esas grandes pesas son demasiado difíciles, intenta visualizar a la persona como un principiante idealista en su trabajo, o quizás como un niño más inocente. O céntrate en algo que te guste, o al menos que no te moleste, de esa persona. Desear lo mejor para otros es un desafío para tu perspectiva, y si esas personas difíciles fueran felices, no tuvieran miedo, fueran ellas mismas y estuvieran en contacto con sus intenciones y su bondad originales, sus acciones serían muy diferentes y sería mucho menos probable que nos fastidiasen tanto. Así pues, ¿cuál es el mejor deseo que podemos tener hacia ellas?

Quizás ocurra algo místico cuando pronunciamos las frases que hemos elegido, o acaso cambie nuestra perspectiva cognitiva. Sea como sea, tu experiencia con las personas conflictivas es probable que cambie. Incluso si ellas no cambian, puede hacerlo tu reacción a ellas. Esto significa que será mucho más probable que surjan maneras sabias y hábiles de trabajar con ellas, porque tu mente está en calma, abierta y compasiva. La frustración debida a lo que ellas «deberían» hacer desaparecerá. Puedes ver cómo tus aliados se convierten en amigos y quienes no eran más que neutrales se transforman en silenciosas fuentes de inspiración. Tus «enemigos» tal vez cambien o no, pero pueden pasar de ser objetos de frustración a recordatorios de algo más.

Recuerda que esos empleados resistentes no son, en última instancia, los enemigos. Son aliados y maestros que todavía no has descubierto cómo utilizar. Practica *metta* para abrir nuevas posibilidades pero también, lo que es más importante, para hacer que llegue el momento de actuar con compasión. Thich Nhat Hanh dice que *compasión* es un verbo. Vive la compasión en el mundo real, en la comunidad que te rodea. Tú eres un faro que representa a *mindfulness* y a la compasión. Puedes realizar prácticas formales como *metta* o puedes simplemente apoyar a otros en silencio. Mi amigo Francis, por ejemplo, adopta cada año a un «alumno secreto», eligiendo a un miembro de los más jóvenes del personal a quien deliberadamente concede un tiempo especial para estar con él, ofrecerle apoyo y cuidar de él.

TRABAJAR CON OTROS

En organizaciones en las que se compite por los recursos de tiempo, atención y dinero, puede resultar difícil recordar que todos estamos intentando servir a los niños:

lo que sucede es que tenemos ideas diferentes respecto a cómo hacerlo.

En este viaje todos necesitamos claridad y humildad para permanecer abiertos a nuevas ideas y nuevas perspectivas. Recuerda, todos tenemos mucho que aprender de la gente que nos rodea. Confía en que el terapeuta, el maestro, los padres y los otros cuidadores de los niños hagan su trabajo lo mejor que puedan.

Recuerda también que podemos aprender unos de otros. Como padre, aprendí más de mis amigos y familiares que de cualquier libro que leí por mi cuenta o en la facultad en la que me licencié. Como terapeuta, he aprendido mucho más acerca de dirigir grupos de niños de boca de los maestros que en el curso de terapia de grupo al que asistí. Y he aprendido más sobre la naturaleza humana viendo gente en mis viajes por todo el mundo que de mi formación en psicología. Este libro es una destilación de la sabiduría de aquellos a quienes he conocido en conversaciones, talleres y libros. Maestros, terapeutas y padres pueden olvidar fácilmente que trabajan para conseguir los mismos objetivos; es maravilloso cuando podemos tener esto en mente y apoyarnos los unos a los otros.

Cuando llevas *mindfulness* a la comunidad, puedes sorprenderte de los lugares en los que encuentras y haces aliados. Agradéceselo a cada uno de ellos. Nutríos e inspiraos mutuamente con regularidad para que tengáis fuerza y apoyo en los momentos en que más los necesitéis.

En mi búsqueda por llevar *mindfulness* a los niños, he encontrado que uno de los mejores modos de hacerlo es ayudar a otros adultos. Un cliché en las profesiones de ayuda nos recuerda que los asistentes de vuelo nos enseñan a ponernos la máscara de oxígeno antes de atender a otros. Cuidarnos a nosotros mismos y nuestra propia práctica son claves para nuestros esfuerzos por compartir *mindfulness*, de modo que asegúrate de que tus colegas saben también respirar. Unos cuantos miembros conscientes de un equipo que vivan realmente lo que practican y predican, con sus acciones y su presencia informadas por comprensiones procedentes de su propia práctica, constituyen una experiencia sanadora para la mayoría de los niños, aunque no les estén enseñando explícitamente *mindfulness*. Una cultura informada por las comprensiones de la práctica de *mindfulness* hará de ti y de tus colegas los mejores maestros, terapeutas, cuidadores y padres que pueda haber, aumentando exponencialmente las oportunidades de que los niños florezcan.

Estimulando *mindfulness* entre otros adultos en tu comunidad, no solo apoyas tus propios esfuerzos para ayudar a los niños, sino que también los apoyas en sus pasos a lo largo de tu compartido camino de ayudar a los más pequeños.

¿Qué puedes hacer en la próxima semana para contribuir a una cultura de *mindfulness* en tu comunidad?

IDEAS PARA CREAR UNA COMUNIDAD MINDFUL

- Mantente al tanto de los sucesos recientes dentro de la comunidad.
- Conoce a las personas influyentes –entre los niños y entre los adultos.
- Ten en cuenta los méritos y los retos de tu rol como miembro de la comunidad o como alguien externo a ella.

- Crea un grupo de meditación sentada para *mindfulness* o un grupo de estudio.
- Piensa en una lectura para la comunidad, formaciones para la comunidad más grande o un tema para todo el año.
- Reúne a todos los implicados –médicos, educadores, padres, personal...– y ofréceles practicar.
- Crea un «Día de *mindfulness*» o un «Día de una sola cosa a la vez».
- Introduce un momento de contemplación al comienzo o al final de los encuentros, sea una práctica formal de *mindfulness* o no.

Conclusión

Resérvate un momento de paz,
y comprenderás
cuán locamente acelerado ibas.
Aprende a ser silencioso,
y te darás cuenta de que
has hablado demasiado.
Sé amable,
y comprenderás que
tu juicio crítico de los otros era demasiado severo.

Anónimo

Comencé intentando compartir *mindfulness* con niños cuando tenía poco más de veinte años. Era un idealista, o quizás arrogante, universitario recién graduado que creía que iba a cambiar el mundo enseñando *mindfulness* a los niños. Pronto se hizo evidente que los estudiantes, por no hablar del personal, del internado terapéutico en el que estaba enseñando tenían otras ideas. Cuando cambié de carrera y comencé en la facultad de psicología clínica, una parte de mí pensó que mi carrera consistiría en sesiones de meditación de cuarenta minutos con mis pacientes, con diez minutos al final en los que comentaríamos lo mucho que nos estábamos acercando a la iluminación gracias a mí (apenas estoy bromeando, por cierto). Mi ilusión se hizo añicos cuando un quinceañero cansado del mundo me miró y, con una mirada profunda y los ojos en blanco, me dijo:

—Doctor Williard, respirar es algo que sucede por sí solo.

Crear y aceptar nuevas definiciones de éxito ha constituido una de las partes más difíciles del viaje *mindfulness* para mí. Un mentor me dijo en una ocasión:

—En este trabajo, medimos el éxito con calibradores, no con reglas.

También me ayudó a entender que el progreso no siempre es lineal –algo que los políticos, las compañías de seguros y los encargados de la administración educativa no siempre comprenden–. He aprendido que con algunos de los niños más conflictivos, a veces nuestro trabajo no es apartarlos de una caída, ni siquiera detener la caída, sino tan solo hacer que sea un poco más lenta y estar con ellos cuando caen. No importa lo mucho que tú o yo pensemos que los jóvenes de hoy día necesitan *mindfulness*, puede que no estén listos para ello en este momento de sus vidas, más allá de lo divertido que intentemos hacerlo o lo que nos cueste introducirlo en las escuelas y las instituciones.

En estos tiempos, nos quedamos solo con un estudiante a quien podemos realmente influenciar: nosotros mismos. La mayor parte de mi mejor obra como padre, como enseñante y como psicólogo clínico ha procedido de las intuiciones, la sabiduría y la compasión desarrolladas en mi propia práctica y en mi relación con los niños con los que he trabajado, no de las herramientas o las técnicas que he empleado.

Ahora hace unos cuantos años que trabajo como terapeuta, y sigo sin cobrar por sentarme y meditar en mis sesiones de cincuenta minutos o en los talleres que dirijo. Todavía no me he iluminado, y francamente, quienes me rodean parecen mucho más cerca de la iluminación que yo. Mi trabajo tiene un aspecto diferente del que imaginé hace tiempo. A veces se trata solamente de dos personas practicando juntas en silencio. No obstante, más a menudo me veo intentando mantener y ejemplificar *mindfulness* en una sala inmersa en un torbellino emocional. Tu credibilidad puede variar, como dicen los vendedores. Con toda probabilidad, tus prácticas con niños parecerán algo así como lo que has leído en este libro, pero tendrás mucho más de ti, de tu entorno y de tus niños, en las palabras y en la manera de llevarlo a cabo.

Cuanto estaba practicando *metta* hace unos años, se me ocurrió, con una mezcla de entusiasmo y de miedo, que podría ser el benefactor de alguien. Sabemos que el factor que mejor predice la resiliencia en la vida de un niño es que tenga un adulto que está allí por él, que cree en él incondicionalmente. Para algunos niños, ese podría ser yo. Qué gran privilegio –y qué gran responsabilidad.

Thich Nhat Hanh cuenta una historia que describe la importancia de *mindfulness* en una comunidad traumatizada:

> En Vietnam hay mucha gente, a la que se conoce como la gente de las barcas, que abandona el país en pequeñas barcas. A menudo, estas se ven atrapadas en mares agitados o en tormentas, la gente puede entrar en un estado de pánico y las barcas hundirse. Pero basta con que una persona a bordo se mantenga en calma, lúcida, sabiendo qué hacer y qué no hacer, para que pueda ayudar a que la barca no vaya a la deriva.

Su expresión –el rostro, la voz– comunica claridad y calma,
la gente confía en esa persona. Escucharán lo que diga.
Una persona así puede salvar la vida de muchos.[1]

¿Estás dispuesto a ser esa persona en calma, en el barco con tus hijos –o con otros niños en la escuela de tus hijos, en tu lugar de trabajo, tu familia o tu comunidad? Si es así, deja este libro, siéntete plenamente presente en este momento, con aceptación y sin juzgar, y comienza a partir de aquí.

Que todos los seres estén en paz.

Notas

Introducción

1. Timothy D. Wilson et al., «Just Think: The Challenges of the Disengaged Mind», *Science* 345, n.º 6192 (2014): 75-77.

Capítulo 1: El estrés y los niños

1. Britta Holzel et al., «Mindfulness Practice Leads to Increases in Regional Brain Gray Matter Density», *Psychiatry Research* 191, n.º 1 (2011): 36-43. S. W. Lazar et al., «Meditation Experience Is Associated with Increased Cortical Thickness», *Neuroreport* 16 (2005): 1893-1897.
2. David Black et al., «Notes from a Growing Science», y W. Britton y Arielle Sydnor, «Neurobiological Models of Meditation Practices: Implications for Applications with Youth», en *Teaching Mindfulness Skills to Kids and Teens*, Christopher Willard y Amy Saltzman (eds). (Nueva York: Guilford, 2015). Sara Lazar, «Neurobiology of Mindfulness», en *Mindfulness and Psychotherapy*, 2.ª ed. (Nueva York: Guilford, 2013), 282-294.
3. Lisa S. Blackwell, Kali H. Trzesniewski y Carol Sorich Dweck, «Implicit Theories of Intelligence Predict Achievement Across an Adolescent Transition: A Longitudinal Study and an Intervention», *Child Development* 78, n.º 1 (2007): 246-263.

4. Sherry Turkle, «Connected, but Alone?», *TED Talk*, filmado en febrero de 2012. Disponible con trascripción interactiva en www.ted.com/talks.
5. Shunryu Suzuki, *Zen Mind, Beginner's Mind* (Boston: Shambhala, 2011), [trad. cast. *Mente Zen, mente de principiante*. Gaia, 2012].

Capítulo 2: ¿Qué es exactamente mindfulness?

1. M. A. Killingsworth y D. T. Gilbert, «A Wandering Mind Is An Unhappy Mind», *Science* 330, n.° 6006 (2010): 932.
2. Carl Rogers, *The Carl Rogers Reader*, editado por Howard Kirschenbaum y Valerie Land Henderson (Nueva York: Mariner, 1989), 19.
3. Susan Pollak, Thomas Pedulla y Ronald Siegel, *Sitting Together: Essential Skills for Mindfulness-Based Psychotherapy* (Nueva York: Guilford, 2014).
4. Lazar, «Neurobiology of Mindfulness».
5. Centers for Disease Control and Prevention, National Center for Injury Prevention and Control, «10 Leading Causes of Death by Age Group, United States-2013», mapa gráfico disponible en www.cdc.gov. Consultado el 13 de agosto de 2015.

Capítulo 3: Construyendo los fundamentos

1. Susan M. Bögels et al., «Mindful Parenting in Mental Health Care: Effects on Parental and Child Psychopathology, Parental Stress, Parenting, Coparenting, and Marital Functioning», *Mindfulness* 5, n.° 5 (2014), 536-551.
2. Lisa Flook et al., «Mindfulness for Teachers: A Pilot Study to Assess Effects on Stress, Burnout, and Teaching Efficacy», *Mind, Brain, and Education* 7, n.° 3 (2007): 182-195.
3. Ludwig Grepmair et al., «Promoting Mindfulness in Psychotherapists in Training Influences the Treatment Results of Their Patients: A Randomized, Double-Blind, Controlled Study», *Psychotherapy and Psychosomatics* 76, n.° 6 (2007): 332-338.

Capítulo 5: Visualizar mindfulness

1. Elena Bodrova y Deborah Leong, *Tools of the Mind: The Vygotskian Approach to Early Childhood Education* (Englewood Cliffs, NJ: Merrill, 1996).
2. Simon Lacey, Randall Stilla y K. Sathian, «Metaphorically Feeling: Comprehending Textural Metaphors Activates Somatosensory Cortex», *Brain and Language* 120, n.º 3 (2012): 416-421.
3. Susan M. Orsillo y Lizabeth Roemer, *The Mindful Way Through Anxiety* (Nueva York: Guilford, 2009), 127.
4. Pollak, Pedulla y Siegel, *Sitting Together*.

Capítulo 6: Atención al cuerpo

1. L. Nummenmaa et al., «Bodily Maps of Emotions», *Proceedings of the National Academy of Sciences* 111, n.º 2 (2014): 646-651.
2. Mark Williams et al., *The Mindful Way Through Depression: Freeing Yourself from Chronic Unhappiness* (Nueva York: Guilford, 2007).
3. E. T. Gendlin, «Focusing», *Psychotherapy: Theory, Research and Practice* 6, n.º 1 (1969): 4-15.
4. J. D. Creswell et al., «Neural Correlates of Dispositional Mindfulness During Affect Labeling», *Psychosomatic Medicine* 69, n.º 6 (2007): 560-565.
5. Stephen W. Porges, *The Polyvagal Theory: Neurophysiological Foundations of Emotions, Attachment, Communication, and Self-Regulation* (Nueva York: Norton, 2011).
6. W. Levinson et al., «Physician-Patient Communication: The Relationship with Malpractice Claims Among Primary Care Physicians and Surgeons», *Journal of the American Medical Association* 277, n.º 7 (1997): 553-569. John Mordechai Gottman y Nan Silver, *Why Marriages Succeed or Fail: What You Can Learn from the Breakthrough Research to Make Your Marriage Last* (Nueva York: Simon & Schuster, 1994).
7. Jon Kabat-Zinn, *Full Catastrophe Living: Using the Wisdom of Your Body and Mind to Face Stress, Pain, and Illness* (Nueva York: Dell, 1991), 92.

8. Thich Nhat Hanh, *Thich Nhat Hanh: Essential Writings*, editado por Robert Ellsberg (Maryknoll, NY: Orbis, 2001), 55.
9. Brian Wansink, *Mindless Eating: Why We Eat More Than We Think* (Nueva York: Bantam, 2007), 73.

Capítulo 7: Fluir

1. John J. Ratey y Eric Hagerman, *Spark: The Revolutionary New Science of Exercise and the Brain* (Nueva York: Little, Brown, 2008).
2. Richard Louv, *Last Child in the Woods: Saving Our Children from Nature-Deficit Disorder* (Chapel Hill, NC: Algonquin, 2005).
3. Jan Chozen Bays, *How to Train a Wild Elephant: And Other Adventures in Mindfulness* (Boston: Shambhala, 2011).
4. Fred Boyd Bryant y Joseph Veroff, *Savoring: A New Model of Positive Experience* (Mahwah, NJ: Lawrence Erlbaum Associates, 2007), 120.
5. Dana R. Carney, Amy J. C. Cuddy y Andy J. Yap, «Power Posing: Brief Nonverbal Displays Affect Neuroendocrine Levels and Risk Tolerance», *Psychological Science* 21, n.º 10 (octubre de 2010): 1363-1368.

Capítulo 8: Un atajo hacia el presente

1. Helen Keller, «Three Days to See», *Atlantic Monthly*, enero de 1933, 35-42.

Capítulo 9: Atención en el juego

1. Thich Nhat Hanh, *The Blooming of a Lotus: Guided Meditation for Achieving the Miracle of Mindfulness*, edición revisada, traducida por Annabel Laity (Boston: Beacon, 2009), 35.
2. Thich Nhat Hanh, *Planting Seeds: Practicing Mindfulness with Children* (Berkeley, CA: Parallax, 2011).
3. Adam Zeman et al., «By Heart: An fMRI Study of Brain Activation by Poetry and Prose», *Journal of Consciousness Studies* 20, n.º 9 (2013): 132-158.

4. Simon Lacey, Randall Stilla y K. Sathian, «Metaphorically Feeling: Comprehending Textural Metaphors Activates Somatosensory Cortex», *Brain and Language* 120, n.° 3 (2012): 416-421.
5. Daniel Bowen, J. Greene y B. Kisida, «Learning to Think Critically: A Visual Art Experiment», *Educational Researcher* 43, n.° 1 (2014): 37-44.

Capítulo 10: Convirtiendo lo virtual en virtuoso

1. Linda Stone, «Are You Breathing? Do You Have Email Apnea?», blog*post*, 24 de noviembre de 2014. Disponible en www.lindastone.net. Consultado el 29 de marzo de 2015.
2. Yalda T. Uhls et al., «Five Days at Outdoor Education Camp without Screens Improves Preteen Skills with Nonverbal Emotion Cues», *Computers in Human Behavior* 39 (2014): 387-392.
3. N. I. Eisenberger, «Broken Hearts and Broken Bones: A Neural Perspective on the Similarities between Social and Physical Pain», *Current Directions in Psychological Science* 21, n.°1 (2012): 42-47.

Capítulo 11: Estabilizar mindfulness

1. Daniel Siegel, Brainstorm: *The Power and Purpose of the Teenage Brain* (Nueva York: Tarcher/Penguin, 2013), 102.
2. Elisha Goldstein, *Uncovering Happiness* (Nueva York: Atria, 2015), 72.

Capítulo 13: La comunidad iluminada

1. Nirbhay N. Singh et al., «Mindful Staff Can Reduce the Use of Physical Restraints When Providing Care to Individuals with Intellectual Disabilities», *Journal of Applied Research in Intellectual Disabilities* 22, n.° 2 (2009): 194-202.

Conclusión

1. Thich Nhat Hanh, *Essential Writings*, 162.

APÉNDICE

Adaptando la práctica al niño

Todas las prácticas de este libro se hallan en la lista que incluyo a continuación. Algunas pueden ser mejores que otras para ciertos asuntos, aunque de hecho la mayoría son buenas para la mayor parte de las situaciones. Para ofrecerte alguna orientación, he apuntado cuándo cada práctica podría ser más útil, utilizando las claves que expongo más adelante.

No existen reglas estrictas y rápidas, así pues, por favor, ten en cuenta que esto es solo una guía, basada en mi experiencia y la experiencia de otros padres y profesionales de la infancia. Siéntete libre para adaptar estas prácticas a tus hijos. Muchas de ellas pueden hallarse también en mi programa de audio *Practices for Growing Up Mindful* (Sounds True, 2016).

I = **Prácticas introductorias**. Estas prácticas son buenas para quienes están dando sus primeros pasos en *mindfulness*, para los niños más pequeños o para aquellos con períodos de atención breves.

A = **Ansiedad**. Prácticas recomendadas para la ansiedad, que aquietan la respuesta de «luchar o huir». Muchas utilizan la mente para reducir la ansiedad general, mientras que otras proporcionan conciencia y relajación al cuerpo. Algunas cultivan una perspectiva más allá de ese estado.

Las prácticas respiratorias son particularmente delicadas para quienes padecen ansiedad. Cuando funcionan, lo cual ocurre la mayoría de las veces, lo hacen de manera rápida y efectiva. Pero prácticas de respiración de una mayor duración pueden empeorar la ansiedad, ya que es fácil creer que las estás haciendo mal. Practicarlas cuando la ansiedad no está presente es algo clave.

D = **Depresión**. La mayoría de estas prácticas son «activadoras» –cognitiva, emocional y físicamente– y por tanto ayudan a sacarnos del pensamiento depresivo y de la impotencia experimentada. Algunas tienden a enraizarnos, lo cual ayuda también a salir del continuo darle vueltas a la mente con ideas negativas, y otras proporcionan perspectivas más amplias y más positivas, que empiezan a cambiar nuestro estado de ánimo. Las prácticas que son demasiado relajantes pueden ser introducciones agradables a *mindfulness*, pero a la larga no resultan tan útiles para la depresión.

F = **Focalización concentrada**. Estas prácticas enseñan la atención sostenida y selectiva, a veces frente a las distracciones. Limitan el foco de la mente, aumentan la capacidad de concentración y fortalecen la función ejecutiva.

E = **Estrés/Agotamiento**. Casi todas las prácticas de este libro son útiles para quienes padecen estrés. Las prácticas específicas identificadas por «E» nos ayudan a reconocer las respuestas de «luchar o huir» o de paralización, a salir de ellas y a reequilibrar el sistema nervioso. Algunas también ayudan a que la mente salga de una perspectiva basada en el estrés.

T = **Trauma.** Las prácticas más generalmente utilizadas para quienes han sufrido algún trauma son prácticas de enraizamiento, que se centran en anclas externas a través de los cinco sentidos. Incluyo también unas cuantas prácticas que enseñan a tomar conciencia de los desencadenantes del trauma, y otras más reconfortantes. Puede ser difícil predecir si una práctica determinada constituirá un reto para alguien que está resolviendo un trauma. La mayoría de estas prácticas son breves y fáciles de realizar con los ojos abiertos. Si bien las visualizaciones pueden ser útiles, yo recomiendo establecer antes una base de experiencia *mindfulness* positiva.

AE = **Ansiedad escénica.** Estas prácticas –recomendadas para aquellos a quienes les cuesta habérselas con situaciones como exámenes, hablar en público, deportes y eventos sociales– aportan una atención centrada en cómo nos sentimos y rápidamente nos llevan a un estado más relajado.

R = **Resiliencia.** Todos sufrimos reveses y decepciones, pero algunas personas encuentran especialmente difícil lidiar con ellos. Las prácticas recomendadas para la resiliencia emocional aumentan la autoestima, la autocompasión y la ecuanimidad frente a los retos de la vida y los cambios.

IE = **Inteligencia emocional.** Las prácticas recomendadas para aumentar la inteligencia emocional nos ayudan a reconocer y tolerar nuestra experiencia interna, y las distintas maneras en que el mundo externo nos afecta, para poder trabajar con ello.

RE = **Regulación emocional.** Estas prácticas nos ayudan a suavizar las emociones difíciles, aprender a calmarnos, cambiar paulatinamente de unos estados emocionales y cognitivos a otros y realizar la transición entre diferentes entornos. Son útiles frente a fuertes estímulos emocionales.

CI = **Control de impulsos.** Las prácticas recomendadas en el caso de aquellos que luchan para controlar sus impulsos enseñan a tomar conciencia de los desencadenantes de la acción y de las respuestas hábiles que ayudan a inhibir esos desencadenantes. Trabajar con estas prácticas nos ayuda a ser pacientes y son útiles también para personas que luchan con temas como la agresividad y el abuso de determinadas sustancias.

LAS PRÁCTICAS

Meditación de *mindfulness* básica (pág. 58): ofrece una lección introductoria al modo de funcionar *mindfulness* para cambiar nuestra relación con nuestros pensamientos y nuestros sentimientos y para saber cómo estar presente. Esta práctica es excelente para todo.

Realizar una sola tarea a la vez (pág. 77): desvía la atención del pensamiento hacia la experiencia física del aquí y el ahora. I, A, D, RE, F, CI, AE, E, T.

¿Cómo lo sé? (pág. 84): apaga el piloto automático del parloteo interno. I, A, D, E.

¿Qué ha ido bien? (pág. 84): cambia la perspectiva hacia lo positivo. I, A, D, IE, R, E.

Seguir tu instinto (pág. 85): sintoniza la mente con la sabiduría del cuerpo. A, D, IE, R, E.

La práctica del árbol (pág. 116): cultiva la ecuanimidad frente a los retos de la vida. A, D, RE, F, R, E.

Nubes en el cielo (pág. 118): cultiva una perspectiva más amplia. A, D, IE, RE, F, CI, R, E.

La piedra en el lago (pág. 120): cultiva la ecuanimidad frente a los retos de la vida. A, D, RE, F, R, E.

El frasco de purpurina (pág. 123): produce comodidad con las emociones cambiantes. I, RE, CI, R.

La práctica de asentarse (pág. 127): enraíza y calma la mente y el cuerpo. I, A, RE, F, R, E, T.

¡Vamos, mente-cuerpo! (pág. 136): desarrolla la conciencia emocional. I, IE.

Hielo, hielo, chica (pág. 137): enseña tolerancia con las emociones difíciles. I, A, D, IE, RE, F, CI, E, T.

Práctica del espacio personal (pág. 140): desarrolla la inteligencia emocional, la comodidad personal y el establecimiento de límites. I, IE, T.

El comer consciente (pág. 144): enseña a **cuidar** la salud y la valoración de lo positivo. I, D, IE, F, CI.

Meditación caminando básica (pág. 159): ofrece un aumento energético (posibilita un mejor centramiento que la sentada). A, D, AE, E, T.

Caminar con palabras (pág. 160): estabiliza la mente y el cuerpo. A, D, F, AE, R, E, T.

Caminar con las emociones (pág. 161): enseña conciencia de la experiencia emocional y conexión mente-cuerpo. I, A, D, AE, IE, CI.

Caminar con la imaginación (pág. 162): limita la atención llevándola de los pensamientos dispersos al caminar y el movimiento. I, F, T, AE, CI.

Caminar haciendo tonterías (pág. 165). I, RE, CI.

Caminar con conciencia sensorial (pág. 166): lleva la atención de los pensamientos y emociones que vagan a las sensaciones y experiencias del momento presente. F.

Caminar 5-4-3-2-1 (pág. 166): devuelve la atención y el aprecio a los sentidos y al mundo que nos rodea. F, D, E.

Caminar mal (pág. 166): limita la atención al movimiento, así como a la experiencia emocional de frustración. I, F, CI.

Caminar apreciativo (pág. 167): estimula una perspectiva más amplia. I, A, D, IE, AE, R, E, T.

El sonido que desaparece (pág. 177): enraíza y calma el cuerpo y la mente. I, A, F, E, T.

Surfeando el paisaje del sonido (pág. 177): enraíza y calma el cuerpo y la mente. A, IE, RE, F, AE, R, E, T.

Duelo de sonidos (pág. 177): limita la atención llevándola de muchos lugares a unos pocos, entrenando la atención selectiva. I, A, F, CI.

Práctica de *mindfulness* de una pista (pág. 183): enraíza la mente y el cuerpo. I, A, F, AE, E.

Deja que la música te conmueva (pág. 184): enseña a reconocer las emociones cuando surgen. I, IE.

Más que palabras (pág. 185): enseña a reconocer los desencadenantes emocionales. IE.

Dr. Distractor (pág. 190): enseña cómo eliminar los impulsos ante la tentación y la distracción. CI.

Encuentra la canción (pág. 191): cambia la atención y la centra. F.

La meditación de la sonrisa (pág. 191): aporta felicidad y conciencia interpersonal. I, D, F, R, IE.

Pasa la respiración (pág. 192): enseña cómo desacelerar, hacer cambios y suprimir impulsos. F, CI.

El espejo humano (pág. 193): enseña conciencia interpersonal y corporal. I, F, AE, IE, CI.

El caleidoscopio humano (pág. 194): de muestra cómo prestar atención a los demás y a sincronizar con ellos. I, F, AE, IE, CI.

Colorear consciente (pág. 195): enfatiza la focalización, la relajación y la conciencia sensorial. A, F, T.

Aclarando las nubes (pág. 196): abre la puerta a un mayor espectro de emociones. I, A, D, IE, F, CI, R, S, T.

Escribe tu propia meditación sobre la respiración consciente (pág. 199): empodera a los niños en su propia práctica y ofrece un ancla sólida e imágenes para gestionar emociones difíciles. I, A, D, F, AE, S, T.

El órgano número setenta y nueve (pág. 210): enseña a ser consciente de la incomodidad y a tolerarla. IE.

Medios de comunicación social conscientes (pág. 220): contrarresta comparaciones desfavorables. A, D, IE, S.

STOP (pág. 227): saca a la mente de su parloteo. I, A, D, IE, F, AE, E.

La respiración de la sopa (pág. 237): calma el sistema nervioso en la mente y en el cuerpo. I, A, RE, AE, E.

La respiración 7-11 (pág. 238): enseña la respiración profunda y aporta calma. I, A, RE, E.

La respiración 11-7 (pág. 239): enseña la respiración profunda, aumenta la energía y focaliza. D.

El suspiro silencioso (pág. 240): libera emociones negativas y frustrantes. I, A, D, F, AE, E.

Respirar con todos nuestros sentidos (pág. 241): enseña conciencia de la respiración y focalización. I, A, D, R, CI.

La respiración de los cinco dedos (pág. 242): calma el sistema nervioso en la mente y en el cuerpo. I, A, RE, F, AE, R, E.

La respiración de los cuatro cuadrantes (pág. 243): calma el sistema nervioso en la mente y en el cuerpo. I, A, E.

La respiración metta (pág. 243): cultiva la compasión hacia uno mismo. A, D, IE, RE, AE, R, E, T.

El espacio entre (pág. 244): centra el foco de atención y entrena esta. F.

El abrazo de la mariposa (pág. 245): cultiva la autocompasión. I, A, D, E, T.

El escáner sensorial (pág. 245): crea conciencia corporal y focaliza la atención. I, A, F, IE.

El contacto 3-2-1 (pág. 247): enraíza y calma la mente y el cuerpo. I, A, F, AE, E, T.

Desacelerar (pág. 247): relaja el cuerpo y la mente. A, AE, E.

Detenerse (pág. 248): enseña el reconocimiento de las necesidades básicas. IE, CI.

Piensa antes de hablar (pág. 249): estimula el pensar al hablar y ayuda a manejar los impulsos. IE.

Buscar la quietud (pág. 249): enraíza y calma la mente y el cuerpo. I, AE, E, T.

Matices del verde (pág. 249): dirige la mirada hacia lo positivo. I, A, D, E, T.

Cambiar nuestra experiencia (pág. 250): enseña a reconocer los pensamientos y las emociones. IE, AE.

Escanea tu cuerpo (pág. 251): enseña a reconocer las emociones cuando surgen en el cuerpo. IE.

El sentimiento agobiante (pág. 252): enseña la capacidad de dejar pasar los impulsos o estados de ánimo. A, D, IE, AE, E, T.

Sensación de cuenta atrás (pág. 252): centra el foco y cambia la atención. F.

Cuenta atrás en el sonido (pág. 253): centra el foco y enraíza la mente en el momento presente. I, A, F, AE, CI.

Teleobjetivo y gran angular (pág. 253): redirige la atención. F.

El color detective (pág. 254): entrena la atención y el darse cuenta. I, F, AE, T.

Ver con ojos diferentes (pág. 254): prácticas de cambio de perspectiva de la conciencia visual. I.

Ojos de niño: nos saca de la perspectiva de la actitud depresiva. D.

Ojos de samurái: entrena la atención y el darse cuenta. F.

Ojos de artista: cambiar la perspectiva. A, D, F.

Simplemente sé x 3 (pág. 255): expande la perspectiva. A, D, AE, E, T.

Buenos deseos (pág. 255): despierta la compasión y la autocompasión. D, T, R, IE.

La práctica de metta (pág. 299): cultiva la compasión hacia sí mismo y hacia los demás. A, D, E, T.

Agradecimientos

Este proyecto se parece más a una asamblea que a una creación: las palabras de sabiduría, las prácticas, son más universales que mías. He intentado rastrear y otorgarle reconocimiento a todo el que inspiró o contribuyó a cualquiera de ellas, pero esto siempre es un reto en una tradición oral. Así pues, gracias a todos los que mencionaré a continuación y a todos aquellos cuyos nombres quizás no aparezcan, pero cuyo espíritu ciertamente se muestra en estas páginas.

En primer lugar, quiero agradecer a mi esposa, Olivia Weisser, quien pacientemente me escucha divagar sobre mi última idea y luego me concede el tiempo y el espacio para desarrollarla y escribirla. Ser escritor exige sacrificio y apoyo –¡no solo el de uno mismo, sino también el de las personas que aman a los escritores!–. Y, desde luego, gracias a mi hijo, Leo. Asimismo quiero agradecer a mis padres, Ann y Norman Willard, por inspirarme el amor hacia *mindfulness* y el amor hacia la escritura. Gracias también a mi hermana, Mara Willard, y a su familia.

Mi colega Mitch Abblett leyó muchos borradores y me ofreció muchas intuiciones, y se ha convertido, en otros proyectos relacionados con la enseñanza y con la escritura, en la clase de colaborador con el que uno sueña. Otros colegas se han transformado en amigos y simpatizantes de este proyecto al ofrecerme su *feedback* sobre algunos capítulos. Entre ellos se encuentran Mark Bertin, Geoff Brown, Fiona Jenson, Adria Kennedy y Dzung Vo. Kristen Bettencourt me ayudó mucho con su *feedback* de varios borradores y del índice –¡que no es poca cosa!–. Gracias también a Mark por presentarme a quien hoy es mi agente literaria, Carol Mann.

Muchos mentores han estado ahí en momentos de frustración y desánimo, ayudándome a que siga con mis prácticas de sentadas, psicoterapia, mi tarea como padre y la escritura, y sus palabras también hallan eco en estas páginas. Chris Germer, Susan Kaiser Greenland, Maddy Klyne, Susan Pollak, Jan Surrey y Ed Yeats han sido especialmente inspiradores como mentores, y ante ellos me inclino con gratitud. Joan Klagsbrun, Tom Pedulla y Ron Siegel, junto con los otros miembros de la junta del Instituto de Meditación y Psicoterapia, fueron también un gran apoyo.

Muchas ideas surgieron por medio de conversaciones o charlas que escuché; solo recuerdo el nombre de unos cuantos: Chas DiCapua, Jeff Goding, Eddie Hauben, Brian Callahan, Ashley Sitkin y otros son responsables de muchos fragmentos de sabiduría y muchas prácticas de este libro. Lee Guerette describió la «energía del cisne y el tigre». Al principio pensé que «Camino de este modo» surgió de una conversación con un maestro de arte dramático, pero hallé una práctica similar en *Mindful Teaching and Teaching Mindfulness*, de Deb Schoeberlein. Sam Himelstein fue increíblemente generoso al compartir su sabiduría acerca de cómo aproximarse a niños conflictivos y constituye una fuerte presencia en los capítulos 4 y 12. Si alguna vez tienes la oportunidad de asistir a un taller con él, no puedo recomendarlo de manera más encarecida. La comunidad en el Congreso anual UCSD Bridging nunca deja de inspirarme: las conversaciones por los pasillos y en las sobremesas con Steve Hickman, Alan Goldstein, Lisa Flook, Randye Semple, Meena Srinivasan y otros hallan eco en estas páginas. He absorbido sabiduría de los talleres impartidos por Escuelas Mindful con Vinny Ferraro, Megan Cowan y Chris McKenna. Gracias especiales también para Vanessa Gobes, Francis Kolarik y Peter Rosenmeir, quienes aparecen en persona y en espíritu en estas páginas.

Gracias a mi agente literaria, Carol Mann, quien me puso en contacto con Sounds True, una editorial realmente fantástica, y a Jennifer Brown y a todos los miembros de Sounds True, quienes apoyaron el proyecto. Gracias especialmente a Amy Rost, que me guió a través de las correcciones con intuiciones que yo solo nunca hubiera tenido. Gracias también a Steve Lessard, que me ayudó en mi primer programa de audio, y a mi subeditora, Allegra Huston, que también compartió conmigo sabias intuiciones.

Muchas gracias a todos los que han asistido a algún taller o han trabajado conmigo en cualquier lugar: a los colegas de la Red de Mindfulness en la Educación, al Instituto para Meditación y Psicoterapia y a Zev Schuman-Olivier y todos los miembros del Centro CHA para Mindfulness y Compasión.

Y sobre todo, gracias a mis pacientes, niños y adultos, de todos estos años. Es por vosotros por quienes escribo y enseño.

Sobre el autor

Christopher Willard es doctor en Psicología y asesor educativo, afincado en Boston, especializado en *mindfulness* con adolescentes y jóvenes. Ha practicado meditación durante quince años. Actualmente trabaja en la junta directiva del Instituto para Meditación y Psicoterapia y en la Red de Mindfulness en la Educación; ha publicado cinco libros sobre la práctica contemplativa y da clases en la Harvard Medical School y en la Lesley University. Ha sido asesor en docenas de escuelas e instituciones y dirigido talleres en cuatro continentes. Sus ideas sobre salud mental han aparecido en artículos en el *New York Times*, CNN (www.cnn.com), *ABC News* (www.abcnews.com) y otros lugares.

Cuando no está trabajando, disfruta pasando el tiempo con su familia, viajando, cocinando, comiendo, leyendo, escribiendo y cualquier combinación de estas actividades.

Para vídeos, descargas y más información sobre sus talleres y formaciones, incluyendo una lista de recursos de *mindfulness*, puedes visitar www.drchristopherwillar.com

Índice